GABRIEL

Niños

Índigo

¿Cuál es el *mensaje*?

Deva's

Niños Índigo
© Deva's, 2004

FOTO DE TAPA: Tony Stone Images - David Roth

DIVISIÓN ARTE
DIRECCIÓN DE ARTE: Adriana Llano
COORDINACIÓN GENERAL: Marcela Rossi
DISEÑO: Javier Saboredo / Diego Schtutman / Laura Pessagno
DIAGRAMACIÓN: Santiago Causa / Mariela Camodeca / M. Constanza Gibaut
CORRECCIÓN: Norma Sosa

Longseller S.A.
Casa matriz: Avda. San Juan 777
(C1147AAF) Buenos Aires - República Argentina
Internet: www.longseller.com.ar
E-mail: ventas@longseller.com.ar

Sánchez, Gabriel
  Niños Índigo - 1ª ed.; 4ª reimp.- Buenos Aires:
  Deva's, 2004.
  160 pp.; 15 x 22 cm - (Calidad de Vida)

  ISBN 987-1102-02-X

  I. Título – 1. Aura-Investigación

  SAN 133.892

 Esta edición de 9.000 ejemplares se terminó de imprimir
en la Planta Industrial de Longseller, en Buenos Aires,
República Argentina, en octubre de 2004.

Recuerdo mi lugar de origen,
había brisas tropicales y un mar abierto;
recuerdo mi infancia
me recuerdo libre...

Ahora vamos
hacia el fondo profundo del camino:
después de haber girado hay otro mundo
girando dentro de éste,
rompiendo el abismo.

—LAURIE ANDERSON

ÍNDICE

Introducción y agradecimientos

La historia de la humanidad registra la existencia de tribus que descartaban a los niños débiles, quemaban a los albinos o se sometían a los conquistadores suponiéndolos dioses. Hoy, un acuerdo relativamente universal nos permite, al menos en el plano teórico, tomar nota de las diferencias sin caer en extremismos, cotejando opiniones, absteniéndonos de sacralizar o demonizar lo desconocido.

Indagar desde la curiosidad y divulgar lo descubierto es una tendencia que nos caracteriza como especie y crece siglo tras siglo. Esto genera, a su vez, descubrimientos sobre nuestra propia naturaleza, y brinda respuesta a algunos interrogantes.

Por mi parte, intenté bajar al papel un tema que casi no presenta antecedentes impresos en español y que los medios periodísticos tocaron apenas anecdóticamente. La búsqueda que abordan estas páginas fue planteada a partir de indicios y sin certezas. Durante mi trabajo, descubrí una verdad tan evidente que pasa inadvertida, como en aquella "carta robada" de Poe*.

Frente a nuestros ojos hay nuevos niños con virtudes específicas. Sus atributos, más allá del rótulo que podamos adjudicarles, palpitan en la esencia de lo humano. Para verlos, se requiere una mirada sin prejuicios, un poco del *extrañamiento* que aconseja la antropología. Aquello que se aborda "a lo viajero", suele abrir las puertas a una aventura llena de revelaciones.

Por otra parte, y aun más allá del fenómeno puntual que investigué mientras escribía, leía o entrevistaba, el asombro sobrevino con cada testimonio: todos los niños tienen misterio.

Como integrantes de nuevas generaciones en la Tierra, los niños siempre traen cambios con ellos. Sin embargo, el estrépito casi apocalíptico de las últimas décadas significó una implosión mayor de respuestas, alternativas, y cosmovisiones. Los emisarios de ese caudal están naciendo.

La naturaleza de esos cambios y sus portadores, desde una de las tantas perspectivas posibles, es lo que intento volcar en este volumen.

Hubo quienes al aportar testimonios para esta investigación aceptaron identificarse. Esos testigos han sido mencionados con sus respectivos *e-mail*, que constan en el propio texto, para facilitar futuras búsquedas.

Otras personas prefirieron contribuir a mi trabajo aunque sin "entrar en cuadro" algo que respeté por razones obvias, en la medida en que había niños de por medio. Pero todas las colaboraciones resultaron importantes.

Roberto Crottogini; Flavio Cabobianco y Alba, su madre; Carlos Rocco; María Luisa Pastorino; Susana Galperin; Molly Hamilton Baillie, así como los niños y padres que anónimamente enriquecieron este libro con su participación, merecen mi sincero agradecimiento.

—G. S.

---

*Edgar Alan Poe, narrador y poeta norteamericano (1809-1849). En su cuento "La carta robada", expone un ejemplo de cómo cierta actitud —obstinada pero sin apertura— en la búsqueda de algo, puede a veces ocultarnos su presencia evidente, mucho más inmediata que lo supuesto.

CAPÍTULO 1

Definición de "lo Índigo"

El período azul

Desde hace más de una década, se escucha por parte de adultos que frecuentan círculos espirituales o adhieren a la perspectiva de un plan evolutivo, observaciones con relación a nuevos niños, diferentes, más evolucionados.

Los comentarios acerca de bebés y niños recién llegados a la vida con una luminosidad distinta en los ojos que, a medida que crecen, muestran facultades ampliadas para adaptarse rápidamente al vértigo de la tecnología, se multiplican en forma geométrica.

Casi todos los adultos de hoy conocen, saben de, o han escuchado hablar a alguien que tiene un hijo con características sorprendentes; que incorpora conocimientos en forma instantánea, que anticipa episodios por venir, que parece comunicarse con un código implícito, insondable, trascendiendo los lenguajes infantiles habituales.

Si bien todavía no puede hablarse de un fenómeno masivo, la cantidad de casos aislados —pero con características similares— que se presentan en distintos puntos del planeta, indican una constancia: lo que parece extraordinario en algunos niños tiende a tornarse natural en la mayoría.

No sólo muchos padres lo han advertido: también maestros y pediatras perciben que las nuevas generaciones "vienen con algo distinto"; más preparadas para el particular tiempo que les toca, con cierto conocimiento de otras realidades, con una mentalidad más elástica y una reveladora capacidad de interactuar mediante nuevas pautas ante el mundo y sus semejantes.

Quien planteó por primera vez la calificación Índigo aplicada a un grupo de niños fue Nancy Ann Tappe —parapsicóloga, conferencista e investigadora en esa materia— en su libro *Understanding Your Life Through Color* (Comprendiendo tu vida a través del color), publicado en los Estados Unidos en 1982.

Tappe explica que los seres humanos irradiamos "capas áuricas" con determinados colores. Y que sólo algunas personas podrían ver dichas auras; no obstante, en esas capas, según los colores en juego, se definirían rasgos de personalidad y otros aspectos inherentes al individuo.

La autora identificó las características de los grupos por colores y luego las desarrolló. De una manera análoga a la astrología, que clasifica rasgos de personalidad o tendencia en grupos de acuerdo con nuestra ubicación cósmica al momento de nacer, también en el color de las auras estarían inscriptos, desde los primeros instantes de nuestras vidas, ciertos rasgos similares que son muy notorios cuando sabemos cómo buscarlos. Ella misma declara haber visto las auras de los niños en esa intensidad cromática, cuya definición en el diccionario ronda el "añil, colorante natural azul oscuro obtenido de varias plantas del género Indigófera".

Sin embargo, el color índigo es sólo una de las características de estos niños a quienes se les han asignado diversas maneras de identificación o denominaciones: Niños estelares, Niños especiales, Niños de luz, Niños de la Nueva Era, Nuevos niños, Niños mágicos, Niños nazarenos o acuarianos, Dark blue children, Millenium children, entre otras.

La aparición de esta "nueva generación" comenzó a ser registrada por distintos observadores desde 1970. A partir de la década de los noventa se han incrementado testimonios acerca de la presencia de niños Índigo en todo el mundo. Según estimaciones de esos mismos observadores, el 80% de los niños actuales cobijaría las capacidades asignadas a un niño Índigo, aunque en muchos casos, en forma latente.

En ese contexto, los investigadores recomiendan a padres y educadores proponerse una nueva mirada. La amplitud y comprensión necesarias para reconocer a nuevos niños que traen cualidades tan particulares al mundo, finalmente abarca mucho más que a un grupo determinado. Los atributos que llegan con ellos inciden en la humanidad en su conjunto, impulsando una evolución de la especie, una apertura a lo espiritual, una reformulación global de los valores, en la medida en que ellos son los adultos del futuro.

Las voces que sostienen y divulgan su presencia, aseguran, en el marco de la idea de la reencarnación, que estos nuevos niños no acarrean aprendizajes pendientes o residuales de vidas anteriores y que algunos vendrán sin ningún karma.

El investigador norteamericano **Lee Carroll**, autor del libro *Índigo Children* (no traducido aún al español) es el primero en desarrollar, partiendo del aura y adentrándose luego en otros territorios, la caracterología de los niños Índigo. Carroll destaca en ellos un "elevado coeficiente intelectual" —a partir de los tests por él realizados— combinado con una "enorme capacidad creativa", teóricamente respaldada, a su vez, por una mayor utilización del hemisferio derecho del cerebro.

Paralelamente, la especialista norteamericana en temas espirituales, **Jan Tober** —coautora del libro de Carroll— agrega que poseen conocimientos sorprendentes, saberes que podrían parecer descabellados frente a nuestro sistema de pensamiento y paradigmas dominantes, propios de personas nacidas en décadas anteriores.

"A la mayoría les encanta manejar computadoras, aprenden a usarlas sin ayuda, resolviendo incluso, si se les permite, los inconvenientes operativos con que muchas veces tropezamos los adultos", asegura Tober.

El siguiente testimonio ejemplifica la estrategia mental de un niño Índigo: en clase de matemáticas la maestra escribe los números 1, 2, 3, 4, 5, 6, 7, 8, 9, 10, en la pizarra y pregunta: *¿cuál de esos números es divisible por dos?* La respuesta del niño en cuestión es *todos*.

Este episodio real —que el cine expuso en la película *Mentes que brillan*, dirigida por Jodie Foster— da la pauta de cómo encaran ellos el conocimiento: desde una perspectiva libre de ataduras metódicas, de pasos intermedios o redundancia logística.

Otras características que definen a los niños Índigo según los relevamientos existentes:

• Abordan los procesos ejecutivos de la tecnología y el pensamiento en general con destreza intuitiva: van a lo esencial.

• Tienen una gran energía y son incansables (algunos duermen muy pocas horas) procurándose tiempo extra para incorporar conocimientos, según aseguran quienes los tratan con frecuencia.

• Se muestran comprensivos cuando reciben explicaciones y se rebelan ante el simple autoritarismo proveniente de sus padres, de sus educadores o de la sociedad en general.

• Rechazan la carne de cualquier animal y los alimentos excesivamente elaborados.

• Comprenden más rápidamente que otros niños de su edad las trampas del consumismo y de las modas.

Frecuentemente se diagnostica a los niños Índigo como *hiperactivos*. Aunque institucionalmente ni la medicina ni la psicología se han propuesto decodificar los indicios en forma manifiesta y sistemática, existen, sí, diagnósticos realizados por parte de la psiquiatría común, que parecen guardar una íntima relación con las aptitudes atribuidas a los niños Índigo.

Así, al hablar de niños especiales, hiperactivos, con particularidades como las que venimos comentando, surgen en el panorama psiquiátrico, dos siglas: ADD (Attention Déficit Desorder) o trastorno de deficiencia de atención y ADHD (Attention Déficit Hyperactive Disorder) o trastorno de deficiencia de atención con hiperactividad.

ADD y ADHD suelen acompañar el desarrollo evolutivo de los niños Índigo, ocasionándoles dificultades, particularmente en el ámbito escolar formal, donde impera la linealidad metodológica (regla de oro para el actual modelo educativo) que a ellos tanto les cuesta seguir.

Lo cierto es que, aun en el marco de este síndrome, los niños Índigo sí prestan atención, pero sólo a aquello que les interesa, a partir de lo cual son capaces de saltearse instancias metodológicas convencionales y profundizar con agilidad autodidacta. Así, cuando una motivación los impulsa, es frecuente que tomen sólo una parte del problema y lleguen a resolverlo con la plenitud orgánica de un todo, alcanzando en sus conclusiones notables grados de sutileza y claridad.

La conciencia cósmica, la telepatía, la capacidad de sanación, la inquietud por trascender el plano netamente denso o material de la existencia, son dones que habitualmente operan a la par de sus abordajes mentales frente a distintos temas.

Grupos de científicos, terapeutas, médicos, biólogos y escritores se interesan cada día más en la cuestión de los niños Índigo. Gente que vocacionalmente inclina su lupa hacia los fenómenos inexplicados en los canales y métodos habituales, repara expectante sobre el potencial cambio evolutivo disparado por los "nuevos niños" en particular.

A los testimonios personales y observaciones de orden psíquico se sumaron elementos de análisis surgidos en el campo de la investigación genética, más precisamente con relación al ADN*. Esto trascendió, in-

---

*Abreviatura del ácido desoxirribonucleico. Dícese del ácido nucleico que forma el componente principal de los cromosomas y soporta el material de la herencia.

cluso, el interés de padres y educadores, generando una comunidad de observadores que se incrementa día a día, según comprobamos en publicaciones especializadas, foros de discusión en la web e intercambio de información entre particulares de distintas partes del mundo.

Sin embargo, y afortunadamente, el fenómeno aún no ha sido descubierto ni explotado por los medios de comunicación masivos, ávidos de audiencia a cualquier costo.

Tal situación propicia una búsqueda con ventajas y dificultades: por un lado estamos ante la posibilidad de transitar un camino poco contaminado por excesos especulativos, propios del sensacionalismo. Por otra parte, podría decirse que "la verdad cuida a la verdad": en el propio fenómeno de los niños Índigo subyace un aporte humanístico que desarticula el lenguaje mediático por excelencia, ligado a la magia efectista, a la prestidigitación, al truco más que a la reflexión profunda acerca de nuestra evolución como especie.

En cuanto a las dificultades, comprobé que no eran demasiadas las fuentes fidedignas en un principio; fue necesario rastrear mucho para acceder a información genuina, con autores identificables.

Como suele suceder en una investigación adaptada a estos tiempos, la dirección inicial que tomé en mi pesquisa transitó los canales de la *World Wide Web*. Internet mediante, el primer indicio proviene del diario chileno *La Estrella* que en su versión digital del 10 de noviembre de 2001 ponía en pantalla un artículo titulado "Los niños Índigo: Una nueva raza viene a salvar el mundo" firmado por Angélica Meneses. A continuación, reproduzco algunos de los tramos de ese texto, verificables en versión completa por la página web del periódico en cuestión:

> No son extraterrestres ni mutantes que pueden deshacer metales o atravesar paredes: son nuestros hijos, los pequeños de hoy, nacidos con una mejor dotación genética y, sobre todo, con bellas cualidades psicológicas, emocionales e intelectuales.

Una expresión muy escuchada en la actualidad es que "los niños de hoy nacen sabiendo". Abuelos sorprendidos de nietos que recién caminan, pero que operan a la perfección el equipo de video y hasta el computador; mamás asombradas de las respuestas de sus hijos, que apenas balbuceando dejan frases para el bronce, y educadoras en los jardines infantiles que deben responder a las preguntas más insólitas, no son fenómenos aislados. Aunque usted no lo crea, esto tiene una razón científica: una nueva raza está llegando al mundo, una evolución de la humanidad seguramente destinada a mejorar las condiciones de nuestra sociedad. Son los llamados "niños Índigo".

Pero, ¿quiénes son estos nuevos niños? ¿Cómo reconocerlos? Y más delicado aún, ¿cómo tratarlos, cómo educarlos para que sean los hombres Índigo que mañana manejarán el mundo? Comencemos por definirlos: se los llama Índigo por el color de su aura, que es azul. El aura es el campo energético que rodea a cada persona, y hay individuos hipersensitivos que pueden verla. También se puede captar en fotografías especiales. El aura registra las bondades y maldades de cada uno, sus miedos y angustias, sus características emocionales. Y en estos niños, coincide en un marcado color azul.

Dado que no es posible para todos ver el aura, ¿qué otras formas hay de reconocer a un niño Índigo? Hay un modo científico, que de paso prueba que esto no es una teoría de esotéricos y metafísicos, sino una realidad probada empíricamente: el ADN. Los niños Índigo tienen un potencial de cambio, explicado por la doctora venezolana María Dolores Paoli, especialista en Psicoespiritualidad (un nuevo concepto referido a la psicología transpersonal, donde se unen el conocimiento del Ego con el conocimiento del alma) quien afirma que el cambio que aportan estos chicos se manifiesta en la activación de cuatro códigos más en el ADN. Según investigaciones realizadas en la U.C.L.A de Estados Unidos de Norteamérica, estos niños serían, incluso, inmunes al Cáncer y al Sida.

Los Índigo tienen la capacidad de escuchar todo tipo de sonidos, incluso su propio fluido sanguíneo, y tienen una fuerte sensibilidad táctil. También hay algunos rasgos físicos, aunque no se dan en todos los casos: son de ojos grandes, delgados, comen poco, son zurdos o ambidiestros y pueden presentar ligeramente abultado el lóbulo frontal.

No son un fenómeno exclusivo de nuestra época. Los ha habido anteriormente, sólo que en forma aislada: la gran diferencia con nuestros días es que los Índigo son ahora muy numerosos. Algunos famosos personajes fueron niños Índigo. A todos ellos se los calificó como rebeldes, hiperactivos, desordenados y hasta malos alumnos. Lo que pasaba era que estaban pensando en otra cosa. Entre otros nombres, podemos citar a Newton, Luis Pasteur, Leonardo Da Vinci, Galileo, Charlie Chaplin, John Lennon, Vincent Van Gogh, John D. Rockefeller, Ludwig van Beethoven, Pablo Picasso, Wolfgang Amadeus Mozart, Steven Spielberg, John Fitzgerald Kennedy y Benjamin Franklin.

Según María Dolores Paoli, en 1999 estos nuevos niños ya representaban el 80% de la población infantil del mundo, de diez años hacia abajo. Es decir, no son nada escasos, de modo que es muy posible que todos conozcamos más de alguno, o incluso tengamos uno en casa.

Por mi parte, nunca había escuchado hablar de Psicoespiritualidad, y la posible inmunidad ante el cáncer o el sida me sonó arriesgada. Pero, a la luz del comienzo de esta investigación, y, ante la lectura de semejantes afirmaciones, decidí profundizar en la búsqueda de testimonios que, a partir de ahora, debería incluir, además, varias campanas de opinión provenientes del ámbito científico. Ya, con menos asombro, ciertos pasajes del texto me hicieron recordar algunas historias cada día más frecuentes y cercanas acerca de niños que anticipan acontecimientos, que escuchan a la distancia, que escriben con ambas manos desde muy corta edad, que interpretan y dominaban el lenguaje de las computadoras aún antes que sus hermanos mayores. Paralelamente, se hace imprescindible, de acuerdo con esta instancia, tomar contacto con el tema de las auras, ya que es a partir de ellas que los niños Índigo son identificados con ese color.

Auras

Es invierno de 2001 en la ciudad de Buenos Aires, domingo por la tarde; la familia Roganti sale de un cine céntrico donde exhiben filmes de Disney. Después de la película, la joven pareja y su hijo repiten el clásico circuito porteño paseando por la gran calle de las librerías, exultante de ofertas, pizzerías, puestos callejeros, olor a incienso. Una librería *Megastore,* con varias plantas, recientemente inaugurada, les llama la atención y entran.

Nacho —que apenas habla, pero camina a la velocidad que le permiten sus cuatro añitos— avanza férreamente agarrado de la mano de su madre, Adriana, quien a su vez, en la otra mano, sujeta un volante que acaba de tomar de un mostrador, cuya lectura la deja intrigada: "conozca lo que dice su aura; su personalidad y sus estados de ánimo", le propone el folleto.

Mientras su marido deambula entre las mesas de libros y objetos, Adriana —tentada por la curiosidad— se adelanta con el pequeño Nacho y enfila al misterioso gabinete: una habitación del local comercial donde se ofrece la "lectura de auras". Al entrar, encuentra una computadora conectada a una pequeña caja metálica en la que, para acceder a la experiencia, debe apoyarse la mano; una cámara de video montada sobre el monitor registra al consultante. Nacho, literalmente, "le gana de mano": apoya sus deditos en la caja y se instala en la butaca. El encargado asume que se inicia la consulta y activa el programa en la computadora. Inmediatamente, los colores irradiados por la imagen fija —que hasta entonces poblaba la pantalla a modo de muestra— comienzan a disolverse y a proyectar estelas que cobran tonalidades cambiantes para definirse, finalmente, en un azul luminoso en torno a la figura del niño.

El operador e intérprete de la sesión le explica a Adriana las características del estudio, tras lo cual imprime un resultado, que le entrega, con el siguiente texto:

El color azul suele predominar áuricamente en la zona de la cabeza, proyectándose con más intensidad desde la coronilla. Pertenece al 5° chakra —el chakra laríngeo— y su energía, bien canalizada, ayuda a impulsar la expresión, la expansión manifiesta de las ideas y sensaciones percibidas desde el exterior, precisamente porque este tipo de aura coincide con quienes tienen cierta tendencia introspectiva.

El azul da cuenta de una intensa espiritualidad y la búsqueda de un orden nuevo. Es un color ligado a la necesidad de cambio, que sus portadores procuran mediante una curiosidad muy fuerte, aunque casi siempre discreta, silenciosa. Son personas generalmente reservadas y críticas. Presentan una falta de seguridad ante las cuestiones prácticas y materiales de la existencia. Pero esto lo complementan con una profunda certeza interior; tienen una noción universal e integradora del mundo, son solidarios y sensibles a todo lo vivo.

Adriana queda absorta ante el diagnóstico. Recuerda las frecuentes anginas de su hijo, curadas, por lo general —tal como le hizo notar una psicopedagoga— tras alguna confesión angustiante que el pequeño tenía "atragantada". Repasa mentalmente la cantidad de episodios en que el niño escondía ciertas audacias y descubrimientos propios mientras, por otro lado, se achicaba ante cuestiones menores, meramente prácticas, como la hora del baño. Siente que todo lo que ha escuchado coincide, esencialmente, con la naturaleza más íntima de su hijo, aún muy pequeño, ya dueño de una personalidad incipiente.

—Es increíble —dice conmovida, en voz alta, olvidando las presencias y el lugar; habla para sí misma.

—No, má, tienes que creer —la corrige su pequeño hijo desde la butaca, con total naturalidad, como si todo fuera apenas un juego de palabras.

El fenómeno Índigo debe su nombre al color proyectado por el aura de estos niños, no sólo registrable mediante las cámaras Kirlian, sino también captado por ciertas personas especialmente dotadas. Sin embargo, las percepciones, dones, virtudes, métodos, vivencias, expresiones de los niños Índigo van mucho más allá de este síntoma energético que, en sí mismo, ha funcionado como indicio y como un modo de designarlos.

El tema del aura, tan controvertido como fascinante, presenta diferentes lecturas y, por cierto, diferentes interpretaciones.

Los testimonios de dos especialistas consultadas en esta investigación ofrecen datos y elementos que abordan desde distintas ópticas la presencia del fenómeno.

María Luisa Pastorino, médica psiquiatra recibida en la Universidad de Buenos Aires, homeópata, autora de artículos y textos varios acerca de las terapias vibracionales, brinda un repaso histórico valioso para introducirnos en la relación del aura con la naturaleza humana. En su libro *La medicina floral de Edward Bach* se remonta históricamente:

> "Desde antiguo se sabe que todos los seres vivos emiten o están inmersos en un campo energético. Personas sensibles o que hoy llamaríamos con propiedades paranormales, pudieron observarlo. Ha sido representado en la iconografía de la antigüedad, tanto en Oriente como en Occidente, atribuyéndole cualidades espirituales. Se lo denominó de muy diversas maneras: aura, atmósfera psíquica, ropaje del alma, esfera de la vida, fuerza magnética, fuerza vital, cuerpo etérico, doble etérico. Paracelso habló de él. Hahnemann lo llamó fuerza vital y basó en ella su medicina homeopática. Mesmer realizaba curaciones actuando sobre el campo energético y llegó a afirmar que 'todo en el universo está unido por medio de un fluido en el que están inmersos todos los cuerpos'. En 1845, el barón Karl von Reichenbach, industrial y científico alemán, realizó un estudio sistemático sobre el mismo; señaló que esa energía era una propiedad universal de la materia y la denominó Od, estableciendo que había un Od positivo y un Od negativo.

Fue el médico inglés **Walter Kilner**, jefe del departamento de electroterapia del Hospital Santo Tomás, de Londres, el primero que demostró la existencia de este fenómeno.

Kilner, conocedor de las descripciones de ocultistas y videntes, que había leído a Leadbeater, ocultista de nota que perteneció a la Sociedad Teosófica Inglesa, sin dejarse atrapar por prejuicios, y con verdadero espíritu científico, decidió buscar un método para hacer visible el aura o doble etérico. Lo encontró, luego de una prolija investigación, impregnando una lente con una substancia química, que permitió hacer visible al ojo humano la luz ultravioleta. Al observar a una persona, con una lente así preparada, el aura se hacía visible como una línea interna que delimitaba el cuerpo y otra más externa, de una luz casi vaporosa que se extendía hacia el exterior. El aura, el ropaje del alma, la fuerza vital, era una realidad física. Las ciencias positivas con su lentitud y morosidad habituales, habían confirmado una vez más lo que la intuición del hombre venía afirmando desde hacía siglos. Llegó Kilner a perfeccionar su técnica de tal manera que logró hacer diagnósticos observando a sus pacientes con este método.

En 1911 publica su libro *La atmósfera humana* y pese a que sus investigaciones fueron estrictamente científicas y sin relación con el fenómeno oculto, fue criticado y rechazado por la profesión médica, como había ocurrido con sus antecesores. (...)

En 1939, el fotógrafo ruso **Semyon Davidovich Kirlian** descubrió que colocando un ser vivo o parte de él bajo la acción de un campo de alto voltaje se hacía visible el aura y se podía observar la relación entre las alteraciones de la misma y las del interior del cuerpo. Esta nueva técnica abrió el campo a otras investigaciones, entre ellas la localización de los puntos de energía sobre los que actúa una medicina milenaria: la acupuntura."

Para quien se lo proponga, hoy existen, en distintas ciudades de América y Europa, locales destinados a "ver" el aura mediante cámaras específicas y pantallas computarizadas. En algunos casos, incluso, se entregan gráficos explicativos donde consta la interpretación de los especialistas que manejan estos sistemas. No fue fácil, sin embargo, encontrar gente que pudiera dar testimonio de haber presenciado auras sin mediación tecnológica.

Alba de Cabobianco, psicóloga graduada en la Universidad de Buenos Aires, fue la primera persona entrevistada que me comentó su propia experiencia con relación al aura. A lo largo de aquel encuentro, en su casa, en marzo de 2002, Alba me decía:

"Vi auras por primera vez durante el parto de Flavio, mi hijo, que nació cuando yo tenía treinta y seis años. Para mí, tras doce años de ejercicio de psicoanálisis tradicional y sin ninguna formación esotérica, esto era desconcertante. Por entonces estaba más ligada, si se quiere, al existencialismo que a la espiritualidad.

Notaba un resplandor que aparecía espontáneamente alrededor de las personas. En el caso de Flavio, me perturbaba mucho la velocidad de esa vibración, muy rápida, muy intensa.

Los siguientes siete años me dediqué a investigar nuevas formas de curación, orientales y occidentales. Tomé contacto, por ejemplo, con la noción de los chakras, a los que se les adjudican colores equivalentes a vibraciones: una visión de la energía del ser humano. Los textos relativos a este tema coinciden en que el color sería una expresión de determinado modo vibracional, y que los colores más limpios y más sutiles corresponderían a vibraciones más altas. Cada centro energético tiene un color que predomina. El 'coronario', es decir el que está en la zona superior de la cabeza, tiene colores que giran alrededor del azul y el violeta. A diferencia de otros colores, el índigo o azul, hasta donde yo tenía estudiado, no era un color que se manifestara con frecuencia en el aura."

Resulta interesante, hasta aquí, la palabra de dos personas cuya formación se remite a saberes no esotéricos. El abordaje que María Luisa Pastorino y Alba dedican al tema *auras* tiene distintos puntos de partida; en el primer caso es netamente profesional; en el segundo, emerge enmarcado por una experiencia personal. Sin embargo, ambas miradas coinciden en un punto de partida crítico. Esto hace que luego, al cobrar peso propio, la cuestión del aura suene mucho más genuina en sus voces.

En Internet existen profusión de sitios y ofertas que abarcan la cuestión del aura promoviendo conferencias, consultas personales, e incluso asesoramientos accesibles sin moverse de la propia casa, vía red. Uno de los cursos ofrecidos (cursos@holistica.com.mx) coordinado por Maya Toyber Campeche, residente en México, invita a participar de sus conferencias e introduce su especialidad al respecto asegurando que:

> La cámara Kirlian no tiene nada de maravilloso, simplemente hace fotografías del "efecto corona", que es un fenómeno eléctrico normal y corriente sin ninguna relación con auras. Verlas desde tu conciencia y usando tu intuición es diferente.

En la misma página web se desarrolla una definición de auras en tanto

> conjunto de fuerzas electromagnéticas de densidades variables que salen de los cuerpos físicos vitales, etéreos, mentales, emocionales y espirituales.

El campo áurico, según indican los expertos, sobresale del cuerpo con un promedio de un metro a partir de la última superficie de la piel.

Así se extiende por encima de la cabeza, y más allá de los pies, hundiéndose en el suelo. Además de los seres humanos, tendrían su propia aura, o campo energético —incluyendo al reino mineral, vegetal y animal— cada una de las presencias que nos rodean.

Hay más documentos en Internet que desarrollan el tema. Algunos conceptos se reiteran, otros se reformulan. A modo de síntesis, extracto aquí algunos fragmentos que habrán de completar el panorama:

• Albert Einstein nos explicaba que la materia no existe, sino que es una ilusión creada por la velocidad de la vibración de diversas formas de energía. Las cosas que percibimos con nuestros sentidos, cuya vibración es muy lenta, tienen una energía que vibra al mismo ritmo.

• Todo lo que vibra en el plano físico se nos aparece en forma de materia sólida. La ciencia nos ha demostrado que un objeto reducido a la más pequeña de sus partículas, esta formado por millones de chispas de energía. Esto indica que hay todo un mundo vibrando a una frecuencia determinada. El estudio del aura tiene como objeto práctico ayudar a la persona a entender los procesos de cambios en que se encuentra y cómo se van desarrollando.

• El aura se ve de varias formas, generalmente emulando capas de color que bordean el cuerpo; bandas circulares alrededor del mismo, como éter flotando sin forma definida, a modo de flamas de colores que se extienden y desvanecen.

• Debido a que el aura es un plasma etérico, se puede visualizar de muchas maneras. Hay personas que tienen la habilidad de percibir el aura de manera natural, con sus ojos físicos abiertos, gracias a los receptores en forma de conos dentro del ojo que son los encargados de la visión de color. Otra forma de percibirla es con el ojo interno (coloquialmente llamado "tercer ojo"). Esto se logra con entrenamiento, ejercicios, práctica y continuo trabajo personal del individuo.

Niños que escriben en el ciberespacio

Tras haber recorrido una docena de páginas web, saltado de *links* en *links*, y advertido que empiezan a repetirse notas y autores, eslóganes, titulares, lanzo un mensaje en botella al ciberespacio virtual titulado "presentación y consultas": algo así como *¿Hay algún niño Índigo allí?*

En él explico mi situación y mi búsqueda, pretendiendo llegar a algún protagonista cierto y exponiendo mi sondeo. Procuro conectarme con gente dispuesta a aportar información, testimonios personales, perspectivas científicas o alternativas.

Recibo, entre las primeras respuestas:

De : "Almendra *" <almond0304@hotmail.com>
Fecha: Mon, 28 Jan 2002

Mi nombre es Irene, miembro de la comunidad. Me da mucho gusto que te tomes el tiempo para encontrarnos y escribir sobre nosotros. Soy mexicana, y al igual trato de relacionarme con mis herma- nos Índigo. Puedes escribirme y contactarme cuando gustes, es- toy en la mejor disposicion de colaborar contigo.

De : "María Paloma Pérez Alonso"
<maria_paloma35@hotmail.com>
Fecha : Sun, 10 Feb 2002

Me llamo María Paloma, tengo 40 años.
Hace un tiempo "casualmente", escuché una conferencia sobre los niños Índigo, y me quedé bastante perpleja, parecía que es- tuvieran relatando mi forma de ser y comportamiento.
No tengo total seguridad de serlo, pero escuchando a la confe- renciante supe que en esencia yo fui una de esas niñas de la que se hablaba. Si quieres escribirme y preguntar, estoy dispuesta a informarte. Un abrazo.
María Paloma.

De : "Molly Hamilton Baillie" <molly_indigodoll@hotmail.com>
Fecha : Tue, 12 Feb 2002

Me llamo Molly Hamilton Baillie, tengo 24 años y soy Índigo.
Una señora que ve auras me dijo, a los trece años, que la mía
era azulada, aunque entonces no entendí la importancia que eso
ahora tiene en mi vida.
He creado una organización internacional llamada "rainbow
plaza" con la finalidad de estrechar lazos entre seres humanos
para que el planeta sea uno y ejercitemos la armonía, el respeto, la tolerancia.
Fui catalogada como una rebelde sin causa. Mis padres tuvieron dificultades para criarme; soy hiperactiva y me aburro con facilidad,
salvo que el tema me interese, como los idiomas, por ejemplo.
Soy británico-argentina y vivo en Buenos Aires.
Me estreso con facilidad, amo la lealtad, no fumo, bebo sólo
agua y jugos naturales, no me gusta la carne.
He desarrollado ciertas facultades que no puedo controlar a voluntad, y he tenido sueños netamente premonitorios. Puedo percibir cuando una catástrofe se avecina porque siento en mi interior un torbellino previo.
Practico yoga, tai-chi, meditación, autocontrol, concentración, es-
cribo cuentos y canciones y participo en concursos. Estudio filosofía y ya casi soy licenciada en historia, a pesar de que el sistema tradicional de la universidad me costó enormemente; no me
gusta la forma mecanicista de estudiar, la escuela fue la peor
marca de mi vida.
Estoy a tu disposición para que me preguntes lo que quieras, e
incluso participar de tus investigaciones, no tengo problema en
dar la cara.
Contáctame.

Decido agradecer a Irene y a María Paloma, con quienes mantengo
el contacto. El testimonio de Molly, notablemente coincidente con la
caracterología Índigo, merece algunas preguntas. Le envío, entonces,
un cuestionario puntual que ella responde pocos días después:

De: "Gabriel Sánchez"
Para: molly_indigodoll@hotmail.com
Fecha: Mon, 18 Feb 2002

—¿Cuándo concebiste la posibilidad de haber sido una niña Índigo?

—Comencé a sospecharlo en junio del año pasado, al ver un programa sobre las profecías mayas, donde se predecía la llegada de los niños Índigo en "la última etapa del tiempo del no-tiempo". Expusieron las características y me reconocí coincidente en casi todo. En realidad nunca había oído de este tipo de niños, pero siempre consideré que cualquier ser humano puede despertar sus facultades mentales, mover objetos, leer el pensamiento, etc. Por lo que no me sorprendía cuando me pasaban cosas extrañas.
En diciembre de este año después de ver un programa de televisión titulado "infinito" en vivo, donde se explayaron más sobre los niños Índigo, busqué en Internet e hice una carpeta sobre ello, con todo el material disponible para corroborarlo.

—¿Cómo lo comprobaste?

—En diciembre de 2001 llegué a la conclusión de que yo era una Índigo, al unir lo que estaba encontrando ahora con una serie de recuerdos que se remontan a mi infancia y siguen en mi adolescencia:
Ingresé adelantada a la escuela, a los cuatro años, pero no podía adaptarme a los compañeros, no era indisciplinada, sino que definitivamente no podía prestar atención. Me atraían las revistas acerca del sistema solar, los planetas, las galaxias, lo vinculado a la posible existencia de otras vidas en el universo.
Me derivaron a un gabinete psicopedagógico y allí concluyeron que en realidad, pese a ser menor al resto de mis compañeros, estaba aburrida, y sólo me interesaba por lo que a mí me parecía importante. Si no prestaba atención —decían los especialistas— era porque sencillamente no quería.

Lo curioso era que cuando el ciclo lectivo terminaba, yo siempre recibía medalla de oro como mejor alumna, sin haber hecho el menor esfuerzo. Sólo me dedicaba a la literatura y a las ciencias sociales, también me gustaban los insectos, me llamaban la atención, pero me daban miedo algunos.

Más tarde, cuando tenía trece años, viviendo en la provincia de Jujuy, una señora llamada Teresita, seguidora de Lanza del Vasto, que podía leer el pensamiento y ver las auras de la gente, un día de pascua en la iglesia, se paró ante mí y se quedó mirándome pero de un modo especial, como si algo "fuera de mí" existiera. Yo no entendía, porque no me miraba a mí exactamente, sino a mi contorno. Luego me abrazó, y le dijo a mi familia: "a esta chiquita se le lee en sus ojos lo que va a ser y hacer...."

Después, ella y los suyos, otros seguidores de Lanza del Vasto, que usaban una especie de uniforme azul, les dijeron a mis padres que Teresita había visto algo bueno en mi aura, y que yo debería incorporarme a ellos, a su culto, pues "ya tenía su uniforme".

—¿Sabes que existe una característica genética de los niños Índigo que los hace resistentes a gran cantidad de enfermedades? ¿Tienes información acerca del tema ADN en este sentido?

—Hace unos veinte días supe de eso viendo otro programa de los mayas donde hablaban de "cuatro codones más" activados del ADN. La verdad es que yo, como historiadora, no tenía ni la menor idea de la composición del ADN, de manera que ahora me estoy interesando por la genética y planeo hacerme un análisis para terminar de corroborar mis aciertos.

Sí te puedo decir que cuando nací, no tomaba leche materna. Fui la única que rechazó el pecho de mi madre, mis otras dos hermanas fueron "mamonas". En mi caso no quería tomarla, y los médicos le dijeron a mamá que ello me traería problemas de salud, debilidad, fragilidad en los huesos, etc.

Pero fui resistente a todo, a pesar de haberme pescado, también, todo: rubéola, hepatitis de sesenta días, varicela, papera, fiebres, sin ninguna consecuencia. Por ejemplo, tuve rubéola antes de cumplir un año, nadie se había dado cuenta, contagié a mi mamá y ella que estaba embarazada perdió al bebé. Yo salí totalmente "ilesa".

Cuando tuve hepatitis, estaba fuerte, y pasé en cama veinte días sólo por precaución, según indicaban los médicos. No me dolía nada. Y lo más curioso es que tenía un apetito feroz.

—¿Conociste a otros niños Índigo personalmente? ¿Se te parecen? ¿Puedes ver su aura?

—Francamente no conozco a ninguno. Me veo más parecida a los animales, a quienes en algunas ocasiones sí les veo un contorno de luz, lo mismo que a las plantas. Por lo general, eso me ocurre cuando, paseando por mi jardín, rezo: allí puedo ver la luz de las plantas.

—¿Has tenido experiencias de telepatía o algo que te haya llamado la atención, que consideres fuera de lo normal?

—Después de que nací, estando yo en la cuna, en los primeros días sucedieron cosas sobrenaturales, como ruidos fuera de lo común y cositas que volaban; objetos pequeños, trabas de cabello, elementos de cosméticos. Mi madre asustada las aplastaba contra el piso. Consultó con psíquicos y le dijeron que era normal que esas cosas sucedieran cuando se estuviera en presencia de personas con mucha energía, pero especialmente en bebés, cuando esas energías recién llegadas en un ser fluyen en forma muy caótica.

Desde el tercer mes, hablé, y un experto en lenguas le dijo a mi padre, que yo decía palabras en sánscrito y algunas en arameo. En cuanto a las experiencias que yo recuerde, sí, las tuve en varias oportunidades, pero nunca de manera voluntaria. Cuando intenté ver lo que pensaba alguien, no pude. En cambio, en forma espontánea, y siempre cuando miro a las personas por la nuca, he llegado a percibir muchísimo. Incluso, a veces, síntomas físicos; a sentir en carne propia el dolor de aquel a quien miro.

Penas, dolores, alegrías ajenos han acabado por estresarme. Por ese motivo hago ejercicios en distintos momentos del día, para controlar este tipo de cosas, estoy aprendiendo a autobloquearme frente a estas situaciones. También he soñado lo que después hago en el día, y puedo sentir con unos meses de anticipación si las tragedias se avecinan, el pecho se me cierra. No entiendo lo que sucede, hasta que ocurre lo que sospecho. Estos presagios abarcan a personas muy conocidas o no tanto. Por ejemplo puedo predecir en mi interior si a alguien del vecindario le ocurrirá algo. Pero esa facultad no me gusta. Es que no he aprendido a manejarla.

Club de los niños Índigo

A los tres y cuatro años estos niños entienden sobre computadoras de una forma que un adulto de 65 años no podrá hacerlo. Son niños que vienen a este mundo con cierta visualización mental orientada y anticipada hacia la tecnología, pero una tecnología que nosotros ni siquiera hemos llegado a soñar. Creo que estos niños están abriendo un portal, y nosotros llegaremos a un punto en el cual nada tendrá que trabajarse, excepto en nuestras cabezas.

—NANCY ANN TAPPE (Parapsicóloga)

David Kortzel vive en Chicago, Illinois, Estados Unidos. Además de taxista es un jugador empedernido de ajedrez y un pésimo internauta. No obstante, aprendió a arreglárselas para poder competir, vía Internet, con desconocidos, donde se llevó algunas sorpresas. Uno de sus más duros adversarios, con quien llevaban un nivel sumamente parejo, rehuía, sin embargo, el diálogo, la evaluación casi ritual que se da en ese ámbito; la conversación tras el juego es una costumbre más o menos habitual, según la cual los contendientes comentan la partida, se dan cita para otra, o intercambian información sobre la actualidad ajedrecística.

En el caso de David, su contrincante fantasma contestaba escuetamente. Apenas cosas como: "OK, otra partida" y nada más. Sin embargo, ese mismo jugador sin rostro, cuando ganaba, se tomaba el trabajo de elaborar y enviarle distintas opciones de la partida completa, saliendo de una jugada determinada, según las cuales David hubiese resultado ganador, de hacer las movidas correctas. A esto, el silencioso contrincante, agregaba el envío de nuevos programas en versiones comprimidas, trucos, antecedentes que registraban sus partidas y otro tipo de material que daba cuenta de un auténtico experto.

El gesto era toda una cortesía, pero implicaba, además, una tarea previa verdaderamente compleja que exige, por otra parte, un concienzudo conocimiento del *software* adecuado.

Así pasó el tiempo, y siguieron los combates en el éter virtual hasta que un viernes de enero de 2000, David se encontró, en una revista especializada con lo increíble: la dirección mail del jugador sin voz, con quien había mantenido cantidad de partidas y de quien había recibido lecciones avanzadas sobre el manejo de su computadora, así como valioso material para distintas aplicaciones ajedrecísticas, pertenecía a Maiuko Ikkei, una niña japonesa de siete años. La pequeña especialista había sido entrevistada como un ejemplo de lo accesible que puede ser el uso de ciertos programas. Pero lo cierto es que ella no sólo manejaba bien esos programas en cuestión. Poseía un excelente nivel de juego y se había dedicado a desarrollar por su cuenta soluciones informáticas que sorprendieron a los propios programadores, jugadores y lectores de la revista, según el debate que se instaló en los foros de jugadores a partir de aquel artículo.

El contacto con el ajedrez, siendo aún muy pequeña, había llevado a Maiuko a desplegar, a partir de esa lógica y esas mismas necesidades específicas, otras herramientas informáticas que le revelaron una vocación investigativa en torno a las múltiples posibilidades que puede ofrecer una computadora personal.

Supe de esta historia chateando con David, cuando buscaba información sobre niños con características especiales. Nunca pude tomar contacto con Maiuko, pues la dirección había sido aparentemente saturada de mensajes y ya no funcionaba. No supe, por tanto, si se trataba o no, de una niña Índigo, pero tuve la impresión de que, a la luz de las estadísticas, los niños —mayoría absoluta en la red— que se revelan anónimamente mediante conocimientos puros, sin mediar diálogo, voces ni imágenes, están esparcidos por el éter virtual y habrán de darnos, en los próximos tiempos, más de una sorpresa; ya sea para enseñarnos o para sonsacarnos, desde su "no edad" el diálogo a un mismo nivel, el juego justo, sin trampas ni ventajas. Ese que a veces, por ser ellos niños, les negamos.

Al margen de tomar contacto con este episodio, donde se refleja lo mucho que puede suceder en el ciberespacio, mi búsqueda en Internet no resultó tan fructífera en lo que hace a encontrar vivencias u opiniones personales narradas por los propios niños Índigo. Encontré, sí, muchos testimonios firmados por adultos Índigo.

Se repiten ciertos nombres cuyos textos están en casi todas las páginas vinculadas. Uno de ellos es el de José Manuel Piedrafita Moreno, quien publicó en septiembre de 2001 *Educar en la Nueva Vibración*: una suerte de manual para padres de niños Índigo. En la propia solapa del volumen, este autor español asegura: "se llaman Índigo los niños que no se parecen a los demás en su manera de comportarse".

Propone, a partir de allí, repensar actitudes y concepciones por parte de padres y educadores:

"Para poder ofrecerles un ambiente donde desarrollar todas sus posibilidades. Nuestras estructuras sociales, educativas y mentales no están preparadas aún para acogerlos y comprenderlos. Este manual —sostiene el autor— os presenta quienes son, os ayuda a detectar si vuestro niño es Índigo y os acompaña en cada momento de la vida que compartís con él, para establecer un modo de vida armonioso, equilibrado, facilitando la afloración de sus dones."

Piedrafita Moreno es, junto con María Dolores Paoli, uno de los fundadores de la página de Internet www.geocities.com/elclubdelosninosindigo.

Entre los textos surgidos de estos sites, pueden bajarse descripciones psicofísicas, donde se repiten los rasgos y atributos presentados en los artículos periodísticos.

Las *páginas de bienvenida* invitan a los potenciales niños Índigo a incorporarse con sus testimonios, citándolos a participar en las conferencias que dictan los fundadores de los sitios. Existen también páginas en alemán, inglés y español con nombres similares.

Uno de los sitios que encuentro en el panorama virtual se distingue de otros al ofrecer —valga el juego de palabras— una ubicación tangible y *real*, a la cual los interesados en compartir experiencias y realizar consultas pueden recurrir, al margen de la Internet.

La sede institucional de este sitio existe en Ecuador, y su página de presentación (*http://conates.tripod.com.ve/ninos_indigo/id25.html*)comunica lo siguiente:

> La Fundación INDIGO es una institución sin fines de lucro, de apoyo a la niñez y la juventud, inscripta en el Ministerio de Bienestar Social. Somos conscientes de la necesidad de emprender acciones para la niñez y la juventud del país y más específicamente para niños y jóvenes Índigo y sus padres. La Fundación esta desarrollando y ofreciendo una serie de acciones enmarcadas en:
>
> - investigar e informar;
> - reunir niños y jóvenes Índigo y apoyarlos;
> - reunir y apoyar a los padres de familia y educadores;
> - conformar una red interactiva de apoyo e intercambio a nivel local, nacional e internacional;
> - desarrollar materiales impresos y audio-visuales de difusión.

¿Quiénes somos?
Somos un equipo de madres de familia, educadores y profesionales. Estamos convencidos de que si los niños y jóvenes son atendidos, entendidos y apoyados —ahora— de manera correcta y cariñosa, en sus aspiraciones, ética, sueños, habilidades, talentos, visiones, podrán llevar a cabo con más facilidad sus misiones de conformar el mundo del mañana, un mundo justo, equilibrado e íntegro.

Nuestra misión
Ofrecer a los niños y jóvenes apoyo, espacios, encuentros, sistemas alternativos y herramientas necesarios para su desarrollo personal, bienestar y comprensión.

¿Qué nos distingue?
La Fundación INDIGO da la bienvenida a todos los niños y jóvenes sin distinción de raza, sexo, idioma, religión, opinión, política, posición económica.

- Ofrecemos un nuevo enfoque hacia la generación que está llegando.
- Prestamos un servicio que escucha y responde a los requerimientos de los niños y jóvenes.
- Contamos con un equipo de profesionales especializados y un acercamiento holístico.
- Co-construimos soluciones prácticas.
- Nos apoyamos en una profunda formación ética y de valores.

¿Dónde ubicarnos?
Sede Quito-ECUADOR: Tamayo N23-44 (632) y Veintimilla, Oficina 2ª
Tel.: (593-2) 2 525-478, 2 525-498, 2 500-970, 09 9 722-523
Fax: (593-2) 2 509 509

Surge de la búsqueda, según compruebo a medida que avanzo en mi investigación, una curiosidad: la gran mayoría de aquellos que han tomado contacto con el tema, acaban sospechándose adultos Índigo (ex niños Índigo) o bien padres de un niño que reúne esos caracteres.

La sensación de verse reflejado —a sí mismo o a sus hijos— en las descripciones, parece ser habitual en los lectores que llegan a esta información. Según surge más adelante, incluso los escritores, docentes y ensayistas que participan del mercado editorial y virtual de la web encabezan su testimonio asumiéndose "adultos Índigo".

Hay factores señalados en la *Indiguez* que, podría decirse, abarcan a todos los niños de la humanidad. Sin embargo, otros aspectos más específicos, recortan y delimitan la caracterología con bastante precisión, en particular el relativo a un ADN "mejorado". Dedico más adelante un capítulo completo a este tema, cuyo tratamiento merece la palabra de especialistas.

Una consecuencia que acompaña al fenómeno Índigo, y que la red virtual difunde a su manera, es el cambio de enfoque por parte del adulto. Se pone así de manifiesto la posibilidad de un cambio en relación con nuestra mirada sobre los niños, al mismo tiempo que cambia el paradigma educativo y pedagógico, permitiendo que nuevas características de la raza humana comiencen a aflorar.

"Los niños de hoy" según dan cuenta los testimonios sumados en mediciones y encuestas, son mentalmente más flexibles, intuitivos, perceptivos y, por cierto, más desconcertantes para sus mayores.

Quizás, hilando fino, encontremos que la mirada de niños y adultos no cambia en forma aislada, unilateral. Resulta lógico pensar que las perspectivas y accesos entre generaciones se modifiquen mutuamente, produciendo una suerte de simbiosis cultural. En este caso particular, da la impresión de asistir a un momento en el cual la humanidad toda estuviera preparando un nuevo giro, tomando posición como un feto en el vientre materno, o rotando, a punto de parirse a sí misma. Con piernas, brazos, mentes y corazones abiertos a algo nuevo cuya gestación depende de padres e hijos por igual, aunque estos últimos sean los "mensajeros" del cambio.

Capítulo 2

Flavio y su madre cuentan su experiencia

Encuentro con un niño especial

*Nuevos niños están naciendo. Son humanos diferentes, aunque no
lo parezcan. Yo soy uno de ellos, uno de los primeros. La humanidad
está cambiando. La conexión con lo espiritual está más abierta.
Todos los niños pueden ahora mantenerse unidos a su esencia.*

—FLAVIO, ocho años

Entrevisté a **Flavio Cabobianco** en abril de 1992, acompañado por
sus padres, en la casa familiar. Por entonces él ya tenía once años de
edad y acababa de publicar *Vengo del Sol*, un volumen compuesto por
reflexiones planteadas desde los cuatro, valiéndose de una nitidez gra-
matical y metafórica exquisita. En la fertilidad de sus ideas, en su for-
mulación y desarrollo, el libro impactó a la opinión pública internacional, fue varias veces reeditado, traducido y citado en distintos medios
gráficos. *Vengo del Sol* incluye dibujos, esquemas explicativos y relatos
personales. Entre sus páginas, que vuelvo a recorrer, encuentro:

"Hay palabras que sólo existen en este planeta tan físico, como la palabra nada y la palabra muerte. La palabra
'nada' sola, no puede existir; puede existir nada de algo pero nada de nada no tiene sentido porque siempre existe
Dios. Nunca algo de Dios puede rendirse o no existir. Es
imposible la nada y también nada es imposible.

Algunas personas creen que con la muerte se acaba todo. Es cierto que cuando el humano se muere se acaba el cuerpo físico, pero no se muere todo el humano, el alma se va con Dios. Se puede tener un poco de miedo porque es un cambio muy grande dejar de ser físico, pero es como terminar la escuela, y después seguir aprendiendo, ir a otro nivel, o ir a una escuela diferente.

O sea, la muerte, como final de la vida, no existe; la vida sigue, de otra manera, seguimos siendo parte de la vida que viene de Dios y que vuelve a Dios".

La impronta de una energía omnipresente y creadora es constante en los textos de Flavio y en los diálogos que mantiene con su hermano Marcos, apenas tres años mayor, quien también aportó su participación en el libro. Ambos se definen "complementarios" y dejan huellas de esa complementariedad en conversaciones como las siguientes, registradas por sus padres, e incluidas en el volumen:

"Marcos. —Hay muchas clases de vida. Todo tiene vida, porque todo es naturaleza, y la naturaleza está llena de vida. Hasta la niebla es algo que vive, tiene algo que hacer. Aunque descienda de las nubes, siempre va a descender de Dios. Todo viene de Dios.

El automóvil, por ejemplo, está hecho de productos químicos, y esos productos químicos los sacaron de fósiles antiguos, sepultados bajo la Tierra por millones de años. El hombre no crea nada, sólo mezcla, todo es una mezcla de cosas sacadas de la naturaleza. Algunas mezclas son malas y peligrosas, son para la guerra; otras son buenas, para hacer cosas buenas.

Flavio (entusiasmado). —¡Claro! Dios creó todas las cosas, todas las cosas son partecitas de Dios, hasta un fantasma... Las casas, los autos, la ropa... Todo sale de Dios.

Marcos (con fastidio). —¡No seas tonto! ¡Te estoy diciendo que esas cosas las hace el hombre, salen de las mezclas que hace el hombre con las cosas de la naturaleza! ¡Cómo vas a decir que una casa, un auto, una ropa, las hace Dios!

Flavio (gritando). —¡Dios hizo la forma del ser humano y también hizo la forma de todas las cosas que existen! ¡Dios hizo las ideas de las cosas, y sin ideas no hay cosas!"

La mayéutica de estos dos jovencísimos hermanitos (testimonios tomados entre los tres y diez años de edad) va extendiendo así sus redes a temas diversos e hipotéticamente "complejos". En sus charlas surgen tópicos que la escolástica institucionalizada ha tardado varios siglos en consolidar y, sin embargo, desde la óptica de ciertos niños, pueden atravesarse con una mayor libertad intuitiva, como si el saber de ambos —e incluso mutuamente potenciado— les permitiera "ir directo al grano". La lógica binaria, por ejemplo, tampoco escapa a estos "debates" entre hermanos:

"Flavio. —¿Sabes? Ya puedo contar hasta cien. ¿Hasta qué número se puede contar?

Marcos. —Se puede contar hasta el infinito. Siempre puedes seguir contando, pero no te alcanza la vida para llegar al final de los números...

Flavio. —¿Qué números son muy grandes?

Marcos. —Bueno, existen los millones, los billones, los trillones... Los trillones tienen un montón de ceros, ni me acuerdo cuántos.

Flavio. —¡Algunas calculaciones son terribles!

Marcos. —No se dice "calculaciones"; se dice cálculos. Ya te van a enseñar a calcular. En la escuela aprendes a sumar y restar. Pero parece que los números verdaderamente importantes son el cero y el uno. De allí salen todos los números.

Flavio. —Claro. El uno es la vida. El cero es la nada. El cero es ningún número, es el infinito de los números. Y todo, el cero y el uno, lo lleno y lo vacío, es Dios."

El filósofo de seis años

Flavio no alude al fenómeno Índigo con esa denominación. Pero lo encarna en plenitud. Hay coincidencias que justifican *recorrerlo* a través de su obra, más allá del atractivo que ésta tiene en sí misma, incluso al margen de una investigación.

Su actitud narrativa, sus convicciones, la manera de exponer sus descubrimientos concuerda notablemente con la idea de que los niños Índigo funcionan con la unidad, entreviendo la interconexión universal, rechazando la polaridad, la separación.

Los planteos de Flavio en *Vengo del Sol* remiten a saberes pocas veces —al menos públicamente— conjugados por un niño.

El sincretismo de la filosofía Zen, la lógica de clásicos y presocráticos, sabidurías puras y sin artificios se sintetizan y conviven en los comentarios que sus padres registran, por ejemplo, cuando Flavio tenía seis años:

"Entre muchos destinos se forma el único destino. El destino de la humanidad.

Todo lo que está dentro del tiempo empieza y termina. Dios no tiene tiempo, está fuera del tiempo."

Los niños Índigo vienen a romper viejos esquemas y dogmas basados en falacias, temores y distorsiones de la realidad que ellos perciben dentro de un todo. Por eso, explican los especialistas, no operan con la energía del temor, propia de la densidad y separación de la tercera dimensión. Y por ello, también, confrontan con los adultos desde sus primeras palabras.

Quienes ven en ellos filósofos de nacimiento y emisarios de sabiduría no tienen inconvenientes en dialogar procurando aprender algo nuevo.

Conversación de Flavio con sus padres (también, a los seis años):

"Papá. —¿Qué tal, cómo te va en la escuela?

Flavio. —¡Bien, bien! ¡Me gusta ir a la escuela! Ya soy un poco mayor en la Tierra, y tengo que aprender a vivir aquí. En la escuela practico vivir en sociedad. Allí no estoy protegido por ustedes.

Mamá. —Pero, ¿tienes algún problema? ¿Cómo te sientes con la maestra, con tus compañeros?

Flavio. —Me siento bien cuando no hay peleas. No me gusta pelear, pero a veces tengo que defenderme. Me llevo muy bien con Alejandro, que desde hace mucho es mi mejor amigo. Pero ahora tengo más amigos, porque ya tengo más control sobre mi imán del amor y puedo atraer a más niños.

Papá. —¿Qué es el imán del amor?

Flavio. —Todos tenemos dentro el imán del amor y el imán del odio. El imán del amor atrae a todo lo que tiene amor. Si lo sabemos controlar, el amor rodea al odio como una cápsula. El amor es ordenado, como el conjunto de letras y palabras que forman un libro. El odio está todo amontonado, es un lío, está todo mezclado. Una persona es mala cuando se le abre la cápsula del odio, entonces atrae a gente mala y le pasan cosas malas. Por esa atracción del imán del odio, se maltratan, se pelean, tienen esa manera desordenada de quererse.

El amor, en cambio, te da una forma de entender las cosas, que no es con la mente, es con el corazón. Entonces atraes a gente que también usa el imán del amor. A mí me ayudó a venir el amor de ustedes.

Papá. —¿Cómo fue eso?

Flavio. —El amor es un canal con la estrella. Los padres de ustedes se tenían bastante amor, y mamá y vos crecieron con amor. El imán de cada uno atrajo al otro, y juntos hicieron un imán muy fuerte. Eso lo vimos como una luz que nos llamó a Marcos y a mí.

Mamá. —¡Pero Marcos es bastante peleador!

Flavio. —Marcos es muy distinto a mí, sabe usar mejor su cuerpo y su mente. Él también tiene mucho amor, pero vino a experimentar el color rojo, la fuerza en el amor. La fuerza que él tiene me ayudó a abrirme camino (riendo), claro, no me gusta cuando usa su fuerza contra mí."

Miro otra vez la foto del artículo: "ojos grandes, lóbulo frontal prominente, cuerpo pequeño". En cuanto a la fisonomía, la imagen de Flavio coincide a la perfección con el modelo Índigo. Pero aun así, esto no parece lo verdaderamente importante. Mientras recuerdo el encuentro, me vienen a la memoria otros niveles más profundos de interés que, retrospectivamente, se tiñen de aspectos vinculados con esta investigación. Todo Flavio exudaba cierta levedad, cierta "aura" protectora respecto del denso mundo en que trascurríamos durante el reportaje. Llevaba la conversación "planeando", por encima de mis repreguntas, hacia territorios insólitos, aparentemente débiles para un material periodístico "fuerte" como el que se me había encargado entonces.

"En un nivel muy sutil —me decía, según releo en el recorte que conservé— todos amamos. En un nivel un poco más denso, amamos a ciertas personas. Y en uno más denso todavía, amamos a las personas con las que convivimos, como amamos a nuestros padres o como se ama una pareja. Allí es donde el odio es más factible."

Me decía, como al pasar, esas cosas que uno tiende a no escuchar, pero que se revelan al desgrabarlas. O al leerlas por segunda vez, diez años después, como en este caso.

A lo largo de la entrevista, Flavio fluctuaba: iba alternativamente de la distracción al entusiasmo. Por momentos se lo veía cansado, aburrido, y entonces mordisqueaba un limón que tenía entre las manos, cuando no las movía incansablemente.

En el libro, cuando habla de su origen, el entonces pequeño Cabobianco adhiere a una idea universal y continua de cada vida, como la suya, encarnada en forma circunstancial en lo humano-terrenal. La espiritualidad, la trascendencia, la reencarnación, confluyen cíclicamente en su discurso:

"Tengo más recuerdos de antes de nacer que de mis primeros tres años de vida. Antes de nacer veo todo, tengo todas las perspectivas, mi vista no tiene límites, porque no tengo ojos físicos. Por primera vez estoy cerca de un planeta tan denso. Me fui preparando, pasando por otros planetas donde podía ensayar lo físico. Era como aprender a escribir en el aire, sin usar el lápiz. Pero esto es muy distinto, muy raro; voy a tener un cuerpo material. Traigo algunos datos básicos para poder estar acá: ' sí y no', 'tiempo y espacio'. Este es un mundo de opuestos".

Otra vez, Flavio me remite a las primeras descripciones obtenidas durante esta investigación: "Los niños Índigo vienen con un sentido de realeza, de presencia y propósito; no tienen residuos kármicos, pues son almas evolucionadas. Son autores y no seguidores y se sienten solos cuando no están junto a otros como ellos".

La relectura de *Vengo del Sol* y nuestra entrevista de 1992, me impulsan a retomar contacto con Flavio. Llamo por teléfono a Alba, su madre, quien acepta un encuentro.

Llego a la misma casa que visité hace una década. Flavio pasa por la sala y se incorpora unos minutos a la charla. Hoy tiene veintiún años de edad, además de una barba tupida. Enseña computación, dedica parte de su tiempo a la música, y se ha llamado a un "exilio mediático".

En lo personal, celebro el hecho de que aquel artículo que nos conectó hace una década, venga hoy a tener un rol importante en estas páginas y haya provocado un nuevo encuentro. Sin embargo, y pesar de haber conversado con él más de una hora sobre el fenómeno Índigo, la presencia de nuevos niños, e incluso derivarnos en otros temas (que por su riqueza justificarían un libro aparte) respeto su voluntad de no exponerse públicamente.

Me remito, en cambio, a su mensaje más actual, extractado de la última edición de *Vengo del sol* en castellano, donde con diecinueve años de edad, el autor expone una retrospectiva adulta (en el prólogo titulado "Ocho años después") que bien podría conjugar la de muchos ex niños Índigo. Allí, un Flavio ocho años mayor, con mucho de poeta, nos dice lo siguiente:

"Escribir implica regalar. Flavito era una persona muy generosa. Dicen que lo vieron jugando con un zorro resfriado. Yo no soy él, salvo cuando 'la distancia de las estrellas se posa en la magia de su brillo', como dijo una muy querida niña-amiga. Creo que el mundo está para que aprendamos. En eso estoy. No puedo darles lo que les dio y les dará, tal vez, Flavito, pero, en cambio, voy a contarles algo sobre mí.

Prologar mi nuevo libro, a seis años de su lanzamiento, un parto en el que fui, al mismo tiempo, madre primeriza y *newborn-baby*, es una tarea difícil para mí. Un amigo canadiense me dijo una vez en Villa Viena que era *bullshit* que un escritor de un solo libro no sea escritor. Escritor o no, Flavito 'el niño' ha escrito este libro de una manera muy particular. Me han pedido a mí, heredero de lo que tenía, aunque no de lo que era (mi legado es sus pasiones) que cuente las intimidades de aquél o que, al menos, dé nombre y apellido de los otros que le siguieron, que diga dónde están y que ha sido de sus vidas.

Flavito era una gran filósofo, creo hoy en una mirada retrospectiva. Cuando tuve en mis manos por primera vez *Ich komm´aus der Sonne*, la versión alemana de mi libro, pude verme desde afuera y me impactó lo que creo como esencial en la filosofía 'flavítica': 'Alle sind wir Teile Gotees' ('Todos somos partecitas salidas de Dios') Los 'humanos' se empecinan en confundir las cosas. Muchos piensan que hay continuidad entre los diferentes devenires de un ser, convencidos de que un devenir sigue al otro. La consecuencia es una mentira, creo que los cuánticos estarían de acuerdo. El presente y el futuro nos atraviesan y plasman un pasado que siempre cambia. Nosotros montamos alguna de estas líneas que apuntan siempre como la flecha del destino y así llegamos a algún pueblo. Miramos el pueblo, donde tantos otros han llegado con sus caballos-destino, nos enredamos con ellos, tiramos de sus líneas para que ellos o ellas tiren de las nuestras. Así amamos y miramos el pueblo, y el pueblo es nuestro porque aprendimos.

Tengo varias críticas con respecto al libro. Insisto en que escribir es regalar, aunque las palabras nos son prestadas. Su autor era una persona bastante más definida y segura de sí misma que el que yo soy ahora. Flavito brindó lo más auténtico de sí en esta obra. Hoy no diría Dios, intentaría algo más poético. Muchos me han agradecido por el libro, siento que deberían hablar con su autor, lástima que se fue de vacaciones. Estoy seguro de que volverá, pues siempre viene a visitarme. Soy él en algunos sueños o cuando estoy con alguna alma que se le parece, así Flavito dice 'este es mi turno'.

Nunca podré escribir un final tan trágico y feliz como el del Principito. Flavito estaba vivo y no era ningún Principito. Ambos habían caído de una estrella. Un día se encontraron en el Sahara y se pusieron a tocar el bajo porque el zorro estaba resfriado y le dolía la cabeza. Otros dicen que eran parientes y la cuestión aquí meramente es: ¿tiene ADN el Principito? Creo que Flavito tenía simplemente por el Principito aquel respeto natural que se tiene por las figuras míticas que uno no termina de conocer.

También hubo omisiones. Flavito se peleaba con su hermanito a menudo. El capítulo de la sangre mala y la sangre buena concluyó dirimiéndose en el plano físico. Marcos ataca a su hermano. Flavito se hacía pis en la cama hasta los ocho años y comía helado de frutilla. Creo que más de la mitad de las cosas que dijimos Marcos y yo cuando pequeños no están incluidas en este libro. Muchos diálogos los manteníamos, en nuestra temprana infancia, sin estar presentes nuestros padres. A veces no tomaban notas, y las servilletas saben perderse. Todos los niños sensibles tendrían un *bunch* de cosas interesantes que decir, y sin embargo, no afectaría esto su vida.

Antes de decidir publicar el libro, mi vida era la que podía tener cualquier chico. Me la pasaba jugando la mayor parte del tiempo con mi hermano: playmóbiles, cuentojuegos, dibujiles. Cuando conté que iba a publicar un libro, en mi escuela todos lo recibieron muy bien. Un amiguito se me acercó y me dijo que él había pensado que había muchas Tierras, y así, sucesivamente. Los chicos tienen para decirnos.

Joseph Chilton Pearce, en *Evolution´s End*, habla sobre la importancia de una Paideia diferente. Cuenta de un niño (Jackes Lusseyran, escritor, filósofo y profesor) que a los ocho años se queda ciego, y sus padres le informan que ha entrado a un nuevo mundo y que debe mantenerlos al tanto. Así el niño, hoy artista y escritor, que en un principio estaba asustado de la oscuridad y se golpeaba contra todo objeto, descubre, luego, la naturaleza de la luz que sale de adentro. Después empieza a ver los colores y, por último, las formas. Así ve el niño ciego sin necesidad de percibir 'un nuevo mundo'. Fui a visitar a Pearce en su casa de Virginia. Lo encontré profundamente amoroso.

Flavio, Flavito y todos aquellos de los que querrán, tal vez, saber paradero, son partes de un todo, un yo, que es, a su vez, parte de otro todo, un almín, diría Flavito, y luego un almán y luego infinitos todos que tienden a Dios, como una parábola que tiende al infinito o puesta en abismo que tiende a cero. Te caíste."

Alba, después de una década

La madre de Flavio conserva las virtudes de cuando la conocí. Persiste abierta, informada, interesada en lo espiritual, curiosa y observadora. Pero descarta una permeabilidad indiscriminada que advierte como parte de una generación a la que pertenece. Insiste en recortarse de las "ideas *hippies* de los años sesenta" y delimitar sus convicciones a campos específicos que surgieron y maduraron a partir de su propia historia.

"Apenas nacido Flavio yo tenía ante él una sensación de extrañamiento, como si no fuera humano. Debo decir que era horrible, porque lo quería mucho y lo sentía muy profundamente mi hijo, pero había en sus ojos, algo insondable, como si él al mirarme supiera todo. Reconozco que me asustaba. Esto duró aproximadamente durante los primeros dos meses. Fue muy fuerte, y a su vez me llevó a profundizar en temas nuevos, particularmente en lo esotérico.

Cuando Flavio empezó a expresar cosas que tenían que ver con una percepción holística del universo, comencé a ver que, efectivamente había una trasmutación energética, y esa trasmutación se revelaba en un modo de ser y estar en el mundo de otra manera; con una conexión directa al alma de la especie.

Más allá de la presencia de auras o colores, lo evidente e importante es que hay una proporción creciente de niños con características diferentes. Ellos vienen con un denominador común: prescinden de la dependencia externa en el tema de la seguridad, en lo que hace a su 'valer esencial'. Poseen una profunda sabiduría y convicción respecto a lo importante que es el 'ser' sobre el 'tener'. Pero conjugan esto con una delicada hipersensibilidad, lo cual no es fácil de llevar.

Yo preferiría definir a estos nuevos niños como personas 'abiertas'. Flavio lo explica claramente en su libro, cuando habla de seres 'abiertos' y 'cerrados' a lo sutil, a lo más denso y material.

Es como si tuvieran un radar plenamente dispuesto a todas las señales. Cuando los chicos tienen la posibilidad de expresar esa apertura, revelan una gran creatividad, no necesariamente artística; puede ser intelectual, o incluso social.

Ellos traen de vuelta algo que el ser humano había perdido: la conciencia de que somos parte de un todo, y dañar nuestro entorno equivale a dañar el propio cuerpo. Son incapaces de herir a un semejante porque sería como agredirse a sí mismos; su visión de la existencia es de unidad con el todo."

—A nivel familiar y personal, visto a la distancia, ¿diría que la exposición pública de Flavio fue finalmente un beneficio o una carga?

"Su padre y yo intuimos que si él no encontraba una vía de expresión, como de hecho fue *Vengo del Sol*, se nos iría; se nos iría de la vida. Teníamos la convicción de que si no expresaba lo que sentía y sabía, le costaría infinitamente vivir. En este sentido nos arriesgamos mucho. Frente a los medios, pero incluso profesionalmente, ya que esto no era del todo bien visto en nuestro ámbito, el psicoanálisis tradicional. Flavio se 'encarnó' físicamente en la Tierra a través de su acto creativo. Terminó de afianzarse gracias a eso; nunca nos arrepentimos de haberlo ayudado a hacerlo."

—¿Qué compartiría de su rica experiencia —profesional y humana— con otros padres?

"Junto a los fenómenos de apertura, existe lo que yo llamo una 'dictadura de los niños' potencialmente dañina para todos. No hay que confundirse con esto. Yo rescataría lo siguiente: respaldar, limitar, educar a nuestros hijos, pero sin obturar la diferencia. Esto vale para cualquier niño. Gilles Deleuze, el filósofo francés, habla de lo anómalo en términos de lo que 'se sale de la serie' porque produce un efecto de cambio. No porque sea 'anormal', atípico ni divergente, ni tampoco porque tenga en potencia o en defecto 'algo' sino, sencilla, o complejamente, porque es diferente.

Los niños que están trayendo un cambio —que ya se está produciendo en la especie— son muy sensibles a lo que pasa en el entorno familiar, en el entorno social y, extensivamente, a la circunstancia universal que atraviesan.

Si ante esas posibilidades, reciben una apertura que les permita canalizar sus dones en forma expresiva, pueden, además, darnos cosas muy positivas. Si en cambio, se les obtura esa alternativa, es posible que se enfermen, e incluso que se separen de la vida."

CAPÍTULO 3

Los especialistas se preguntan si se trata de niños distintos

Niños estelares

Que el mundo, o que los pensamientos o que las vidas terminen en alguna parte es muy difícil de entender. Para mí, lo normal, desde chiquito, fue que todo existe siempre. No se me ocurría que fuera de otra manera. Cuando escuché por primera vez a una maestra de mi escuela diciendo que los únicos que existíamos y pensábamos éramos los que vivíamos en este planeta me sentí raro, solo, porque a todos mis compañeros les parecía normal. Pero después no me importó, porque sabía que estaba acompañado por otros, desde lugares que no terminan nunca, con pensamientos que no terminan nunca... no se puede estar solo, a menos que uno se lo invente, y sería mentira.

—DAMIÁN, diez años

Georg Kühlewind, húngaro de nacimiento, profesor universitario de Física y Química, autor de más de catorce libros sobre diversos temas relacionados con lo espiritual, escribió recientemente un artículo —publicado por el semanario *Das Goetheanum* el 11 de marzo de 2001 en Dornach, Suiza— que lleva por título "Los niños estelares y los niños difíciles".

Este autor europeo elige diferenciarse del término Índigo —acuñado en los Estados Unidos— por considerarlo restrictivo. Prefiere, en cambio, llamarlos *niños estelares*, o *especiales*, aunque los aspectos que determina en sus estudios no varían sustancialmente respecto de los niños Índigo, ni aluden a una relación específica con las estrellas. Su enfoque tiende, sí, a un abordaje de lo cósmico, de lo universal, de la vida más allá de lo terrenal, pero también de la evolución espiritual, aquí en la Tierra.

En su artículo, destaca a los niños Índigo (o estelares) como seres *confrontadores,* que creen en la determinación de hacer las cosas por sí mismos, que poseen poca tolerancia a la deshonestidad, y un gran sentido de integridad basado en el amor y la compasión.

Kühlewind, sin embargo, encuentra un punto de equilibrio entre lo puramente cientificista y la apelación neta a la espiritualidad. En el preámbulo de su ensayo, tiene una mirada novedosa sobre la niñez. Afirma que el niño pequeño siempre ha sido un extraño entre los adultos, dado que proviene de un mundo en el cual el *existir* es a la vez un *comunicarse.* Habla de una comunicación sin señales.

"Una comunicación directa de seres cuya esencia es pura significación: tal como ocurre con los espíritus humanos en el estado prenatal. Así como las 'significaciones' de signos perceptibles para los sentidos no son de naturaleza física —agrega— tampoco lo son los seres que pueden entender o crear significaciones. El adulto, en cambio, vive en un mundo de signos físicos, y en su mayoría los toma por realidades, sin reconocer su significación; es más, ni siquiera vislumbra que los propios signos son 'signos de significaciones', es decir, la visión del mundo acorde con la ciencia natural."

En ciertos tramos, este físico e investigador, algo distanciado del psicoanálisis tradicional, de la filosofía clásica, de la lógica pura, parece rozar todas las disciplinas de las Ciencias Sociales. En sus reflexiones, sin embargo, hay puntos de contacto con ideas freudianas, aquellas que si bien no apelan al elemento espiritual, también se ocupan de un tema que desvela a este físico-químico, lector entusiasta de Goethe: "la constitución del 'Yo' del niño".

En relación con la instancia pedagógica, Kühlewind afirma:

"La educación del niño consistió, y por lo general sigue consistiendo, en adaptarlo con la mayor brevedad a este mundo de signos y significados, tomándose el aspecto del significado, en la mayoría de los casos, de manera nominal. En el pasado esto fue más o menos exitoso, dado que en la educación todavía desempeñaban un papel los remanentes llenos de sabiduría que provenían de tradiciones anteriores más espirituales. Pero desde hace algunas décadas la situación ha cambiado dramáticamente: el abismo entre el niño y el mundo de los adultos se profundiza y se agranda con creciente rapidez. Por un lado nacen cada vez más niños con predisposición espiritual. Por el otro, el mundo de los adultos se aleja compulsivamente de ello: este mundo está compenetrado con una mentalidad y un modo de vivir puramente materialista."

¿Estamos realmente hablando de niños *distintos* y *nuevos?*, parecen sugerir estos párrafos. ¿No será que la especie humana se ha vuelto muy distinta de sí misma y los niños de hoy nos lo hacen notar? ¿No será que éste es ya un mundo *viejo* y en ese contexto la reivindicación evolutiva que nos plantea "algo nuevo" nos parece insólita y anormal? El autor, sin embargo, no se refiere a todos los niños. Es selectivo y apunta diferencias:

"Hace veinte años, aproximadamente (pudiéndose observar precursores ya mucho antes) nacen cada vez más niños que son distintos. Es decir, *distintos* a lo que los padres y pedagogos están acostumbrados. Hasta el momento estos niños fueron considerados y tratados como casos especiales aislados, como raras desviaciones de lo normal. Hoy en día, debido a su creciente número, se ve claramente que no se trata de casos aislados sino *que una nueva generación de almas llega a la Tierra*: son niños que traen consigo una gran madurez, que están descontentos con el actual mundo de los adultos y que vienen a nuestro planeta con un poderoso impulso espiritual. Actualmente ya no es posible cerrar los ojos ante este acontecer."

En la biografía de Georg Kühlewind, encuentro que su vida y su profesión dan un vuelco fundamental en los años sesenta, a partir de la lectura de *La Filosofía de la Libertad* de **Rudolf Steiner**. Surge así un nuevo término y un campo de investigación aplicable a los niños Índigo: la Antroposofía.

Precursor de esta disciplina filosófica y terapéutica, Steiner concibe el pensamiento científico aplicado a la evolución humana; incluye el factor espiritual y crea la "Pedagogía Waldorf" un método educativo cuya cosmovisión del hombre deriva en la educación del espacio interior de los niños. He aquí algunas opiniones al respecto:

"Las implicaciones de las observaciones de Gesell y Steiner son claras para los educadores. Forzar el aprendizaje antes de que los niños estén biológicamente preparados, es colocarlos en situación de fracaso... Surgiendo, de la forma en que lo hizo, de las observaciones cuidadosas del infante, no es de extrañar de que la educación Waldorf llegara a la misma conclusión (que el Instituto Gesell), y aplique los mismo principios para el desarrollo del currículo para la educación de los niños."
—**Sidney MacDonald Baker**, M. D.
Doctor en Medicina. Director Ejecutivo, Instituto Gesell de Desarrollo Humano New Haven, Connecticut

"Como científico involucrado en investigar la física de la percepción, estoy impresionado tanto por el contenido de este currículo, que incluye actividades de aprendizaje con el 'hemisferio-derecho' para complementar el lado analítico, o 'hemisferio-izquierdo', y por el estilo del currículo que promueve un compromiso directo de creatividad y atención al detalle. Este método integral, profundo

y bien fundamentado, es lo que se necesita para hacer frente a los desafíos de una era tecnológica, dinámica y estresante."
—**Harold Puthoff**, Doctor en Filosofía. Investigador norteamericano en temas paranormales

"Steiner estaba muy adelantado a su tiempo. Lo que observó sobre la enseñanza en la primer parte del siglo veinte, se está confirmando gradualmente con nuevos descubrimientos en la investigación del cerebro. La necesidad que tiene cada individuo de rehacer su propia significación, las relaciones cuerpo/mente, y la participación de las emociones, juegan un papel critico en el aprendizaje efectivo. La educación Waldorf, por ejemplo, ha estado trabajando con estos principios por más de sesenta años y recién ahora está siendo reconocida. Ha estado poniendo en práctica aquello que los más destacados investigadores y educadores del cerebro están descubriendo sobre el cerebro/mente del ser humano. Lo que Rudolf Steiner presagió sólo comenzó a ser parte de la conciencia educativa en la década del ochenta."
—**Gabriel Rico** Docente en la Universidad Estatal de San José. Costa Rica

El pensamiento de Steiner ha dejado "escuela y secuela" de discípulos en el mundo entero dando pie a un nuevo panorama terapéutico fundamental en la historia. Si bien aquel investigador no se refirió puntualmente al fenómeno Índigo, es evidente que, gracias a su enfoque, hoy somos capaces de concebir la posibilidad de un cambio en la especie, en estos términos.

Haber replanteado la relación del niño y el adulto como un aprendizaje mutuo, dinámico y fértil a partir del cual las revelaciones sobre la naturaleza humana cobran una perspectiva dinámica y renovable, es obra de Rudolf Steiner de su impronta.

Nuevos niños

Hernán está en sus primeras semanas de escuela. Nunca antes había pasado jornadas tan largas fuera su casa, en un lugar nuevo, rodeado de personas como él, es decir, de su edad. Cada tarde, al volver, se lo ve muy excitado. No sólo habla vertiginosamente de todo lo vivido, como atropellando las palabras con el entusiasmo de materializar su propio relato, sino que, a diferencia de otros niños (hay los que incluso lloran y sufren hasta la hora de volver a casa) él parece fascinado con la aventura cotidiana que ha abierto en su vida ese espacio lleno de misterios, ese nuevo destino cotidiano e inesperado.

> "Al principio —me cuenta su madre— me preocupé por el grado de aceleración que mostraba Hernancito cada vez que llegaba de la escuela. Hablaba sin parar de los compañeritos, de la maestra, de su banco, de la mochila de tal o cual, de lo que les habían contado en clase; iba y venía preparando cosas para el día siguiente; nada parecía importarle más que el aula, pero de una manera casi obsesiva. Esto, sumado a que, por naturaleza, hasta entonces había sido más bien tímido, retraído. Y de golpe se había ido al otro extremo..."

El testimonio de la mamá de Hernán verifica una típica contradicción universal; a veces hasta las buenas señales, las de vitalidad, nos preocupan. Por un motivo u otro, toda novedad es inquietante. Hasta hace poco, incluso, se subrayaba esta reacción alarmista específicamente en los niños, como rasgo lógico del desarrollo. Los síntomas de este niño en particular, sin embargo, invierten aquella hipótesis.

Hernán adora la novedad, la sorpresa, aunque no es un buen alumno, precisamente porque la transmisión formal de los conocimientos, en los términos pedagógicos tradicionales, no le interesan. Le cuesta concentrarse en las clases, se dispersa en los ejercicios de lectoescritura o matemáticas, mira a su alrededor. Le preguntamos qué mira y lo describe: los gestos de la maestra, sus labios que se mueven, las caras de los demás niños, las ropas, las fotos en la pared, los mapas, los casilleros donde cada alumno guarda sus pertenencias, la ventana, los árboles de afuera. Ese es el mundo verdaderamente vivo, atrapante, intenso. Eso es lo nuevo, y es mucho de golpe.

Su poder de observación le permite describir al detalle a cada compañero, las características del salón de gimnasia, los horarios, los juegos. Su velocidad de absorción es mucha, su metabolismo le impide "aminorar" ante esa instancia fría y desconectada de la pizarra. Él corre aún en la autopista de la *visceralidad*, necesita, por su naturaleza, recorrer otros tramos, previos a las convenciones, si es que luego las sigue. O acaso inaugure caminos inexplorados en la búsqueda del conocimiento.

Los padres, inicialmente preocupados, consultaron con tres pedagogos distintos que no se ponían de acuerdo en un diagnóstico; algo evidentemente difícil de emitir, teniendo en cuenta que Hernán no presentaba ningún tipo de angustia. Esa excitación, aunque algo desbocada, tenía el perfil de un síntoma feliz; positivo. Es su madre quien, con el correr del tiempo, empieza a notar la cara más luminosa del asunto:

"Cuando empecé a conversar un poco más con él, también yo misma cambié algo. Traté de ver las cosas como las vería alguien que no se esperaba esos cambios, y que además los tomaba con alegría; las novedades que traía de la escuela, las presentaba como de otro planeta maravilloso, impredecible y, fundamentalmente, suyo, propio, ganado y descubierto por sus propios medios. Hasta entrar en la escuela, sus amigos eran los hijos de los nuestros; no tenía contacto con otros niños. Ahora la cosa era totalmente diferente.

Era como si hubiera crecido otro palmo de golpe (algo a lo que las madres nos vamos acostumbrando a medida que criamos a nuestros hijos) reconociéndose persona, desarrollando un interés individual por las cosas, los objetos, los espacios, otros adultos, los chicos que lo rodeaban, es decir, estaba incorporando un territorio puntual —la escuela— que, de hecho, él conocía mejor que nosotros, sus padres.

En esos primeros días escolares, me llamó especialmente la atención una de sus respuestas. Cuando le pregunté qué era lo que más le gustaba del grupo que le había tocado, me dijo: "elegir". ¿Cómo es esto de "elegir"?, me asombré.

Claro, elegir a mis amigos, que sean míos —aclaró, con total poder de síntesis—. Entonces descubrí lo importante que era para él, y supongo que lo sería para cualquier chico, esa primera noción de individualidad y de tener todo un mundo pendiente de revelaciones. Pero también descubrí algo muy importante para mí, como individuo adulto. Toda esa excitación, esa aparente ansiedad, son ganas, puras y nobles; voracidad ante la inmensidad del destino. Quizás a Hernán esto se le reveló de golpe cuando "salió al mundo" pero también fue una señal para nosotros, sus padres. A partir de allí, mi marido y yo nos replanteamos: ¿no nos falta un poco de esa excitación ante las cosas? ¿No nos estamos acostumbrando a los mismos rituales como si fuéramos chicos encerrados en un pequeño mundo de tres ambientes? Lejos de considerar que la aparente "aceleración" de nuestro hijo fuera una enfermedad, lo que concluimos fue que a través de su frescura, de su irreflexivo atolondramiento, en realidad era él quien nos daba una lección a nosotros."

Al confrontar el testimonio de esta madre encuentro notables coincidencias con un artículo titulado "El mensaje de los niños de hoy", publicado en *Das Goetheanum* (el mismo semanario que difundió la nota de Georg Kühlewind mencionada páginas atrás) de Wolfschlugen, Alemania, el 7 de febrero de 2001.

El entrevistado, **Henning Köler**, pedagogo, es investigador especializado en temas de infancia y pubertad, anorexia y dificultades del aprendizaje.

En relación con las patologías señaladas como ADD y ADHD (trastornos del déficit de atención con o sin hiperactividad) Köler se refiere a ellas asegurando que en realidad, son, en estos niños, un exceso de las fuerzas del Yo, en especial de las fuerzas Superiores del Yo.

"El llamado Síndrome Hiperactivo, es en realidad un puro decir sí a la vida, una pura alegría de crear: un desbordante anhelo de hacer el bien. Es lógico que esto nos cree toda una serie de dificultades. Pero cierto es que se nos presenta una extraordinaria capacidad que debemos reconocer, apreciar y fomentar, en vez de estrangular. Todos conocemos los síntomas negativos —contrasta Köler— pero, ¿qué pasa con los aspectos positivos? Estos niños se destacan por su gran impulso por actuar: un impulso creativo, entiéndase bien. Ellos rebosan de energía, pero no se trata simplemente de un difuso exceso de energía; debemos superar esa idea de una máquina a vapor. Lo que se nos evidencia en ellos es cómo el impulso del calor y movimiento obrante en el proceso de encarnación irrumpe con fuerza inusitada; es como si el sentir vital básico de esos niños se expresara diciendo: ¡sólo tengo poco tiempo y es tanto lo que debo llevar a cabo!"

El irrefrenable impulso de actuar es, desde la mirada de Köler, sólo una cara de la moneda. Los llamados niños hiperkinéticos, cuyas señas son tan cercanas a los Índigo, presentan, según su óptica, una marcada necesidad de proyectarse como "comunicadores primigenios"; son espontáneos, inventivos, generosos, con una alta disposición al riesgo, si fuera necesaria para canalizar sus objetivos.

Köler advierte que estos "pequeños anarquistas" —así los califica en tono positivo— llegan a asustar a los mayores, en la medida en que ya nacen con una exigencia de libertad que habitualmente emerge recién en la adolescencia.

Este investigador ha encontrado, en los niños hiperactivos, lo que él define como "todos los atributos del hombre del futuro"; sumamente flexible, de amplias capacidades, lleno de ideas, dotado para lo técnico, emprendedor. "Inoportuno —delata Köler— en un mundo que apuesta a otro nuevo tipo estándar; conformista, que aprueba todo y a todo se adapta sin inquirir el porqué."

La idea de que los nuevos niños vienen a aportar un cambio fundamental a la evolución de la humanidad, es también una de sus premisas. Y sostiene que en toda época las nuevas generaciones, unidas entre sí con hilos invisibles, traen la voluntad de llevar determinados impulsos sanadores al acontecer universal, mientras que al mismo tiempo aparecen fuerzas adversarias para arrastrar todo al abismo.

"Sería este un tema fascinante para la investigación histórica de la juventud —propone—: hoy en día no se necesita ser pesimista para mirar con temor hacia el futuro. Los niños Índigo aparentemente se han propuesto una tarea especialmente grande. Quieren realizar un salto cuántico de la conciencia y no le temen a ningún riesgo. A diferencia de los años 60/70 en los que la juventud se rebelaba abiertamente, se está produciendo actualmente una 'revolución de raíces del pasto'. Los niños nuevos se hallan por doquier."

¿Un cambio profundo e histórico viene a darse en la naturaleza humana? De ser así, es un cambio cuyos signos vitales difieren bastante de otras supuestas "sangrías" a las que haya asistido (hipotéticamente o no) nuestro mundo. Precisamente porque el vuelco, en esta oportunidad, parece estar dado por la vida, y no por la muerte. Por una multitud en expansión y no un líder solitariamente iluminado, o una minoría poderosa. Por niños pacíficos y no por ejércitos de adultos.

La muerte, con su innegable pompa y circunstancia, revestida de una gravedad exclusiva, avalada por su opulencia alegórica, mística e implacable, se ha cobrado, en el campo del mito, la literatura o el crimen étnico-religioso, una cantidad importante de supuestas "purificaciones".

Desde el Dios castigador con su Arca de Noé y otras metáforas bíblicas, pasando por las masacres étnicas destinadas a "limpiar la humanidad", la parca sostiene su protagonismo mediático e histórico.

Como contrapartida, las últimas décadas parecen concebir en los niños Índigo un germen de cambio más estimulante; vinculado a la "suma" y no a la resta. Es decir, a la vida, y muy en particular al comienzo literalmente "embrionario" de ésta, lo cual suena lógico, si se trata de cambiar algo para mejorarlo a futuro: haciéndolo por el principio y no —lúgubremente— por el final.

¿En qué consiste el cambio que parece gestarse? ¿Es una metamorfosis de la configuración física, psíquica, genética y espiritual de los seres humanos? ¿Quiénes son sus vehículos? ¿Qué es lo que hay que hacer para que el cambio fluya y se articule como tal?

Esas son las preguntas que Köler, junto a otros autores, intenta responder. La cuestión Índigo tiende a proyectarse con un efecto bifronte: abarca lo espiritual y lo biológico, lo racional y lo intuitivo, cuestiones aledañas que fluctúan, de carril en carril, entre el cuerpo y el alma, lo social y lo químico; fronteras cada día más difusas.

Quizás en esta dualidad esté planteada simultáneamente la dificultad para el investigador y a la vez su interés ante un fenómeno que podría afectar positivamente a la conciencia planetaria.

Toda certeza compartida por una comunidad atraviesa, antes de serlo, un pantano de dudas y refutaciones. Cada sospecha avanza, crece, se expande, se confronta, pero lo hace en forma pendular, oscilando entre la fabulación, la verdad y el prejuicio, con las mismas vacilaciones ontológicas que sufren los distintos sistemas de creencias, o la propia ciencia positiva, antes de legitimarse. Idéntico metabolismo natural parece tocarle a este conjunto de indicios que se congregan en torno a la infancia, a los niños, en los últimos años. En este proceso, la palabra de investigadores como Köler, tan plenamente abocados, casi con exclusividad, a un fenómeno en particular, se integra con un alto grado de compromiso pues si su verdad en juego pierde sustento, también lo pierde el resto de su obra, tan vasta como específica.

Ser o no ser Índigo

Estos niños vienen llegando al planeta Tierra, los muy pioneros, desde finales de los setenta, pero es a partir de la década de los noventa que aumenta su presencia. Por lo que más bien estamos hablando de mayoría y no de minoría.

—MARÍA DOLORES PAOLI (Especialista en Psicoespiritualidad)

En una escuela en Buenos Aires, Argentina, la maestra propone a sus alumnos de segundo grado (ocho años promedio) que escriban un relato individual, breve, donde narren hechos verídicos de sus propias vidas, que a otras personas les hayan resultado sorprendentes o raros. La consigna para el trabajo —"Es verdad aunque no me lo crean"— genera risas, bromas, los chicos hacen obvias referencias al popular programa de televisión que lleva un título casi idéntico, pero enseguida se ponen a escribir. En pocos minutos, un silencio atípico se adueña del aula. Como el mutismo que impera en una mesa cuando los comensales están verdaderamente hambrientos, la concentración de los precoces y voraces narradores reina, excepcionalmente, por sobre el cuchicheo habitual.

Al cabo de veinte minutos, la maestra les pide que vayan terminando, retira las hojas de los pupitres y los deja salir al recreo.

Dado el interés que despertó el tema, la joven docente (estrena su primer año al frente del aula) se propone echarle un vistazo a las redacciones para luego desarrollarlas e intercambiar lecturas en la siguiente hora.

Al revisar las redacciones, se lleva una sorpresa. La mayoría de las historias narra situaciones contundentes, minuciosamente descriptas, con detalles muy específicos; niños que han predicho la muerte de un familiar cercano, otros que sintieron haber "viajado" fuera de sus cuerpos durante la noche, mientras se veían a sí mismos recostados en la cama; casos de nietos que aparentemente habían conversado largo y tendido con sus abuelos ya fallecidos y desarrollaban esos diálogos con memoria precisa. Un pequeño, incluso, consigue, en la síntesis de quince líneas, describir cómo una mañana determinada le comunicó a su madre que el autobús que lo llevaba a su escuela no pasaría, dejando por sentada la sorpresa de su madre al cumplirse esta "profecía".

Otros de los elementos comunes en estos relatos están dados por una alusión omnipresente a las plantas y animales en un tono que no los diferencia de los seres humanos. La docente queda muy impresionada al advertir que los niños respaldan lo escrito con la convicción de estar diciendo la verdad, y sin contradecirse ni corregirse. Pero más le llama la atención el hecho de que entre ellos mismos, estos niños no se asombran; parecen hablar un idioma común, no fantasioso, sino absolutamente veraz, al compartir la experiencia narrada de circunstancias casi habituales en sus vidas. No se trata de un colegio especial, ni de un grupo seleccionado entre otros; son chicos normales, de una escuela estatal, de familias de clase media y media baja.

Mariela —así se llama la docente— cuenta que a partir del intercambio de relatos, los propios niños empezaron a discutir con gran soltura (en sus propias palabras) sobre temas como la muerte, la trascendencia espiritual, la vida más allá de la muerte, el alma de las cosas, los viajes astrales, la telekinesis:

"Lo hablaban —recuerda— sin ninguna reverencia ni fabulación televisiva. Daba la impresión de que estaban comentando cosas sumamente cotidianas. Me impactó especialmente este episodio, porque si bien yo ya había visto entre mis sobrinitos, e incluso en mis primeras prácticas como estudiante, algunos casos aislados de chicos con estas inquietudes, para mí eran excepciones. Esta vez, en cambio, los chicos con historias de este tenor eran la mayoría.

Sin embargo —agrega Mariela—, lo más revelador vino después, porque a raíz de esa clase, se me ocurrió citar a todos los padres del grupo para una reunión especial conmigo. Vino la mayoría; les mostré el material, y todos parecían sorprendidos al advertir que sus propios hijos compartían con otros niños un mundo de inquietudes rico y consistente, más allá de las anecdóticas fantasías infantiles convencionales. Desde la fecundidad de la escritura libre, los textos revelaban intereses comunes y una vocación significativa por lo inexplicado. A partir de esto, se integraron grupos de padres para confrontar las experiencias atípicas de sus hijos y enfocarlas con el ánimo de escuchar, compartir y explorar junto a ellos."

La afirmación de que en 1999 los nuevos niños ya representaban el 80% de la población mundial infantil (menor de diez años) pone en el fenómeno Índigo un peso estadístico de magnitudes inéditas.

Suponer dicha característica "potencial" pero inactiva en tantos niños —naturaleza ignorada por la gran mayoría de los padres de niños Índigo— implica advertir, por otra parte, la urgente necesidad de verificar ese dato. Si efectivamente los recursos, dones y virtudes latentes de miles de millones de seres humanos hoy carecen del marco adecuado para desarrollarse en la adultez, estaría privándose a la humanidad de una solución que a la luz de los últimos acontecimientos mundiales, la especie clama a gritos.

Incluso, si cabe la contingencia de que dichos dones sean erróneamente diagnosticados como un cuadro patológico, al punto de tratar esa sintomatología con fármacos (según surge de ciertos informes periodísticos inicialmente recabados en estas páginas, donde se liga al fenómeno Índigo con trastornos de la atención) las privaciones y las consecuencias para la especie serían aun más graves.

Lo cierto es que, a partir del fenómeno Índigo, investigadores de distintas disciplinas han retomado con mayor vigor el estudio de las capacidades especiales en niños. Es decir, en aquellos "futuros adultos" que pudieran albergar atributos como la telekinesia, la clarividencia, la telepatía, etc., en estado latente. Esto cobró particular interés a la luz de los muchos experimentos recientes que revelaron en nuestra especie capacidades insospechadas "dormidas" durante siglos de humanidad.

Anna Hayes (www.anahayes.com) es otra de las investigadoras que ha volcado sus hallazgos en Internet, instalando en la web su propia página. Allí advierte que los niños Índigo no deben ser considerados superiores o pertenecientes a una elite en comparación con otros humanos, sino, por el contrario, demostraciones vivientes de las capacidades adormecidas que ahora comienzan a revelarse rápidamente entre todas las poblaciones humanas:

> Comunidades científicas de China, y EE.UU. están actualmente identificando pequeños grupos de niños de distintas edades que exhiben habilidades inusuales, como la neutralización del HIV, el genio avanzado, capacidades psíquicas y telekinéticas y otros atributos fuera de lo común. Éstos son identificados como niños Índigo. Ellos pueden exhibir alguna o todas de estas habilidades y otras aún no identificadas. En los niños Índigo, fragmentos de ADN que la ciencia identifica como "ADN inútil" están más organizados y son más operacionales al momento del nacimiento que en los bebés comunes. Esto les otorga cualidades y habilidades biológicas, mentales y/o espirituales que los ubican avanzados con respecto a la norma.

Hayes pronostica que estos atributos podrían a su vez presentar desafíos en el desarrollo de alguno de estos niños, puesto que nuestras estructuras medioambientales y culturales serían peligrosas para los humanos con las sensibilidades biológicas y psicológicas que aporta el desarrollo genético "acelerado". Menciona, por ejemplo la *Expansión Perceptual*, concepto que instala en el debate y define como "una orientación biológica psicoespiritual de los niños Índigo; un uso natural de cualidades sensoriales que están más allá del rango de los cinco sentidos comúnmente conocidos.

"Los atributos asociados con la Expansión Perceptual —relaciona Hayes— son una consecuencia directa de la elevada sensibilidad causada por el desarrollo genético acelerado y el avance orgánico en la orientación espiritual. Si bien los fenómenos asociados con la Expansión Perceptual están aumentando entre las diversas poblaciones como resultado de la progresión evolutiva humana, este atributo es más notable y avanzado en los niños Índigo, lo que los ubica en una situación de riesgo dentro de la atmósfera ambiental, sociológica y política. Los atributos de los Índigo pueden velozmente transformarse en desafíos elevados, para ellos como individuos y en relación con aquellos que los rodean."

Si tuviéramos que definir "tendencias" en el enfoque que los distintos investigadores dan al fenómeno Índigo, diríamos que la investigadora norteamericana Anna Hayes se inscribe en la rama cósmico-paranormal asociada a hipótesis biológicas:

"Los fenómenos de la Expansión Perceptual debidos a progreso genético son claramente evidenciados y demostrados en la cultura global a través de un cúmulo creciente de sucesos y reportes de "hechos inexplicados", como la EPS (Percepción Extra Sensorial), NDE (Near Death Experiences, Experiencias de Muerte Cercana), OBE (Out of the Body Experiences, Experiencias Fuera del Cuerpo), encuentros angélicos, "fantasmas", comunicaciones interdimensionales, actividad paranormal, visiones, abducciones, ovnis, etc. La evidencia de los desafíos biológicos y psicológicos que involucran la aceleración genética asociada con la Expansión Perceptual puede ser encontrada en el aumento de la frecuencia de "crímenes sin sentido" (como las masacres en las escuelas), aumento acelerado de los casos de suicidio y abuso de drogas entre adolescentes, el avance progresivo del ADD, problemas de conducta, desbalances bioquímicos y alergias entre la población infantil. Hay que agregar el aumento de los desórdenes tiroideos, esquizofrenia, trastornos bipolares y cognitivos, psicosis, cáncer, y otras enfermedades, entre la población general."

En relación concreta con los niños Índigo y sus atributos, Hayes reprocha a los profesionales y al *establishment* científico el intento de racionalizar la existencia de los fenómenos de Expansión Perceptual asignándolos a la imaginación, alucinaciones o enfermedad mental, debido a que estos sucesos no podrían ser efectivamente explicados dentro de los paradigmas actuales de la ciencia física.

"Otras ciencias físicas más progresivas —concluye Hayes— reconocen la existencia potencial de campos de realidad multidimensionales, basados en los potenciales sugeridos dentro de la Teoría Mecánica Cuántica. Pero aplicaciones prácticas de tales paradigmas experimentales no están disponibles en la actualidad. Los niños Índigo son los pioneros de lo que finalmente será la norma de la humanidad a medida que progresa en su evolución genética. La evolución de una cultura comienza con cada individuo."

Futuros y colores

Entre los casos de niños que pude contactar, me interesó especialmente el de Nahuel. Se trataba de un chico que lloraba con desesperación cuando escuchaba gritos, bocinas o cualquier estridencia que denotara un origen violento. Al principio, sus padres atribuían estas crisis de llanto al divorcio que habían afrontado cuando Nahuel tenía seis años de edad. Pero desde mucho antes su hijo se había revelado como un chico sensible al sonido en general y a la música en particular. Su madre, Inés, cuenta que, a los dos o tres años, al niño le fascinaba escuchar a los pájaros desde el balcón de la casa y pasaba horas allí, señalando distintas aves, creyendo o intentando identificar el origen de esas melodías elementales pero hipnóticas que suelen tener los pájaros de ciudad.

Inés es pianista y aclara que a pesar de la afinidad actual, la relación con su hijo —hoy un prestigioso cantante lírico— no siempre fue "consonante". Recuerda que

"Era bondadoso al extremo, y lo sigue siendo, especialmente con los animales, pero a la vez, extremadamente sensible. A veces tanta sensibilidad lo paralizaba, lo distraía, lo anulaba. Tenía infinidad de problemas en la escuela. No fue para nada buen alumno en esa instancia. El grito de un compañerito, la voz fuerte de la maestra, cualquier altisonancia —hasta el timbre del recreo— lo amedrentaba. Para él era una especie de "agresión sonora" amenazante. Esto lo ofuscaba, lo entristecía y lo desconcentraba, con la misma intensidad con que, en cambio, se pacificaba y le brillaban los ojos mientras yo estudiaba piano. En esas oportunidades, me llamaba muchísimo la atención la mirada de Nahuel, completamente viva, ávida, penetrante. Si había música alrededor su rostro desplegaba alegría, pero también confianza, plenitud.

Con respecto a los problemas con los sonidos, era como la contracara de esa misma virtud. Primero lo llevé a un médico clínico, que a su vez me derivó a un otorrinolaringólogo con diagnóstico claro: no tenía ninguna afección ni dificultad desde el punto de vista físico. El problema seguía y las rabietas frente al menor ruido (el timbre de casa pulsado más de una vez, el lavarropas, la licuadora) eran cada vez más frecuentes, así que fuimos a un psicopedagogo. El hombre resultó ser una excelente persona, alguien que me abrió la cabeza y nos cambió completamente el enfoque del problema. Hizo notar el lado bueno de algo que yo consideraba una "manía" y lo redefinió como una virtud perceptiva, que sin duda tenía un correlato positivo. Lejos de alejarlo de los ruidos, nos sugirió acercarlo a esa parte del sonido que Nahuel parecía adorar: la música. En ese momento comenzaba nuestra revelación familiar. Tras unas cuantas entrevistas-conversaciones con Nahuel a solas, este señor que quiere conservar un muy bajo perfil y me ha pedido no ser nombrado, nos citó y nos dijo: "su hijo es Índigo". E inmediatamente vino una larga explicación que nos dejó helados. Como si eso fuera poco, nos convocaba a hacer un ensayo absolutamente inocuo con Nahuel, en el cual estaríamos todos presentes. No recuerdo cómo ni por qué —intuyo que fue la confianza natural que nos inspiraba— pero accedimos."

Aquel mismo terapeuta le explicó a Nahuel que esto que le pasaba a él, también le sucedía a muchos otros chicos de distintas maneras. Es decir, ese "sentir extremado", que tanto podía hacerlo feliz, como torturarlo. Allí escuchó hablar por primera vez del color Índigo, de las auras, y tuvo la oportunidad de vivir una experiencia sorprendente acerca de sí mismo, invitado por ese señor amable, que hablaba de energías y colores.

"El espacio en que me encontré de golpe era fascinante, relata Nahuel. Fui con mamá. Era una habitación grande, completamente blanca. De una de sus paredes colgaba un lienzo, también blanco, enfrentado a una cámara. Estoy usando ahora palabras de adulto, pero en aquel momento veía una cámara por primera vez, no tenía idea de lo que era. Había un silencio absoluto que sólo recuerdo haber percibido bajo el agua, cuando me hundía en la bañera deliberadamente en busca de ese alivio profundo que era el "no oír casi nada". La persona detrás de la cámara, una mujer sumamente cálida y dulce, sencillamente me hablaba, me preguntaba cosas fáciles de responder, mientras bajaba las luces y luego me enfocaba.

Después pasó lo increíble. Pasamos a otro cuarto donde había algo así como un televisor color muy grande, y nos sentamos frente a él con mi madre. Yo tampoco había visto nunca una cámara Kirlian, ni sabía del calor de los cuerpos (ni siquiera veía televisión, porque en casa no había). Digo que fue increíble porque ya adulto, vi cámaras Kirlian, que son bastante diferentes de lo que se ve cuando se ven auras, pero aquella vez me confronté con todo junto. Vi mucho más que eso: no sólo se percibía la hoy ya conocida aureola de "calor" que desprende el cuerpo al ser enfocado por este tipo de cámaras, sino otra aureola superpuesta a ella. Es decir, un aura de gran densidad, fluctuante, oscilando entre el azul y el violeta, cambiando en las distintas partes del cuerpo, pero especialmente concentrada alrededor de la cabeza. Y todo eso, alrededor mío. Fue un shock. Un shock agradable. Me gustaba verme en pantalla, me gustaba sentirme observado y analizado, me gustaba que todos estuvieran en silencio y me trataran con respeto. Recuerdo que mi madre, en cambio, lloraba. Todos tardamos en encontrarnos con esa nueva realidad."

Nahuel aclara que hoy tiene algunas críticas acerca de aquel procedimiento; pues si bien cree absolutamente en el don de ver las auras, lo circunscribe a determinadas personas que poseen esa virtud natural. En este sentido su testimonio se suma al de quienes han desarrollado cierta prudencia respecto de los métodos que involucran tecnología fílmica. La cuestión es materia de debate a distintos niveles. Afirman algunos que el aura de una persona no puede registrarse mediante una "lectura" informática, sino como resultado de una percepción vital, entre seres espirituales.

Por su parte, Nahuel, tras haber pasado por el rechazo y la aceptación (a nivel externo e interno); elecciones y cambios de rumbo, marchas y contramarchas, fue "afinando" su destino en el único instrumento que cobija el cuerpo humano. Es multiinstrumentista pero se decidió por el canto. Quizás como una búsqueda instintiva, propia de los niños y adultos Índigo, en esa aspiración por deshacerse de lo accesorio, procurar lo esencial, la fibra última de las cosas, la menor densidad: "la menor parafernalia posible" como él mismo define.

El caso de Nahuel remite, en parte, a ciertos "tipos" que describe Nancy Ann Tappe, autora de *Entendiendo tu vida a través del color*. En este libro, la autora explica que los "colores de vida" son aquellos visibles a partir del aura, y anticipan, en cada caso, cuál es la misión de las personas en la Tierra; qué es lo que han venido a aprender. Pero esos colores no serían permanentes en la humanidad.

En un reportaje publicado en Internet, la investigadora agrega, por ejemplo, que según observaciones llevadas a cabo, a lo largo del tiempo, se produjeron cambios:

> Vimos desaparecer el fucsia y el magenta se volvió obsoleto. Así que pensé que esos dos colores de vida serían reemplazados. Me sorprendió encontrar una persona fucsia en Palm Springs, porque es un color que desapareció al inicio de 1900, o eso fue lo que me dijeron. En los 80, sentí que aparecerían dos colores más añadidos al sistema, porque dos habían desaparecido.

> Les decía a todos que tendríamos dos colores más, pero no sabía cuáles serían. Mientras los buscaba, "vi" el Índigo: estaba investigando en la Universidad Estatal de San Diego, tratando de construir un perfil psicológico coherente que pudiera resistir la crítica académica. En ese tiempo, la esposa de uno de los médicos tuvo un bebé que nació con un soplo en el corazón. Me llamaron para que fuera a ver al niño; allí fue cuando realmente vi el Índigo y comprobé que ese era un nuevo color que no tenía en mi sistema. Esa fue la primera experiencia física que tuve y que me mostró que estos niños eran diferentes. A partir de entonces comencé a buscarlos e investigarlos.

> En 1980 los registré y comencé el proceso de personalización; en ese entonces, teníamos en estudio a algunos niños de cinco, seis y siete años, y podía observarlos; "leer" su personalidad, in-

dagar su naturaleza. Lo principal que aprendí es que ellos no tienen un plan de estudios como lo tenemos nosotros; se relacionan con el mundo de acuerdo con sus respectivas tendencias áuricas.

Tappe distingue cuatro tipos de niños Índigo: *humanistas, conceptuales, artistas e interdimensionales*, augurando un futuro genérico para cada uno de ellos e incluyendo consejos de su cosecha:

• Los humanistas: futuros médicos, abogados, profesores, comerciantes y políticos que servirán a las masas. Muy hiperactivos y extremadamente sociables. Con puntos de vista definidos y algo torpes. No saben cómo usar un juguete, pero los desarmarán y probablemente después no los vuelvan a tocar. Distraídos, y ávidos lectores.

• Los conceptuales: más interesados en los proyectos que en la gente. Futuros ingenieros, arquitectos, astronautas, pilotos. Atléticos. Controladores, especialmente de su madre si son niños y de su padre si son niñas. Con tendencia a la adicción, probablemente drogas, durante la adolescencia. Conviene vigilar atentamente sus patrones de comportamiento.

• Los artistas: muy sensitivos. Futuros maestros, diseñadores, actores, creadores, en general. Dentro del campo de la medicina, cirujanos o investigadores. Entre los cuatro a diez años tendientes a involucrarse en muchas actividades creativas simultáneas. Antes de elegir le dedicarán un tiempo a cada una, para decidirse, por lo cual recomiendo a padres de potenciales músicos y artistas: no compren los instrumentos, mejor alquílenlos.

• Los interdimensionales: físicamente más grandes que los otros tipos. A la edad de 1 o 2 años responderán: "yo ya lo sé" o "yo puedo hacerlo", o "no me molestes". Tappe asegura que son quienes traerán nuevas filosofías y nuevas religiones a este mundo, aunque pueden llegar a convertirse en bravucones y jactanciosos.

Según concluye la autora, los niños de estos cuatro tipos creen en sí mismos, no sienten miedo por los adultos y difícilmente se amedrenten con amenazas poco creíbles.

> Desde el momento en que un niño Índigo comienza a hablar, los padres deben hablar con ellos abiertamente. Incluso desde que son bebés. Se debe aprender a escuchar a los niños Índigo y no intentar mostrarles autoridad. Permita que los niños le digan a usted lo que ellos necesitan. Entonces, explíqueles las razones por las cuales usted no puede darles lo que piden o por qué es correcto que sí lo obtengan. Todo lo que ellos necesitan es ser escuchados. Ellos son el puente entre la tercera dimensión —dimensión de la razón, del pensamiento— y la cuarta; la dimensión del Ser.

El hecho de que Nahuel, aparentemente un "Índigo artista", encontrara su destino, y que sus padres lo favorecieran, surgió, paradójicamente, de un desencuentro con el mundo exterior:

> "Cuando yo consulté a un especialista —recalcaba su madre— lo hice por la desconcentración en la escuela y el mal rendimiento, que parecían provocados a partir de ese síntoma antisocial y "maniático" (así lo explicaba yo) con el asunto de los sonidos. Por suerte, dimos, después de algunos fracasos, con la persona capaz de ver más allá de lo evidente. Fue la primera vez que escuché hablar de las personalidades que revelaban una virtud a partir de un dolor, en un mundo demasiado denso como el que vivimos. Y por supuesto, me llevé una sorpresa con la gran lección de advertir que un síntoma en nuestros hijos es siempre un mensaje y no un defecto".

La personalidad inquieta y despierta de Nahuel, contenido por sus padres, se trasladó, como era previsible, al arte sonoro. Cambió muchas veces de instrumento y de género musical: hizo folklore, músicas étnicas, rock, jazz, clásica, contemporánea. Tocó el piano, la trompeta, el contrabajo, la batería. También se dedicó durante algún tiempo al diseño de instrumentos e hizo un curso de luthiería especializado en bronces. Se destacó en todo: aprendió a leer y escribir música sólo, a los siete años —cuando aun no se entendía con las palabras— leyendo las partituras de su madre.

"En esa época, lo que hacía —nos cuenta él mismo— era recordar la música que mi madre tocaba y leer su partitura, tratando de entender cuáles eran los patrones comunes entre lo que yo recordaba, las teclas del piano, y los símbolos del papel. Así aprendí; fue como entender un idioma de golpe. Mi propia madre no me creía, ya que yo aún no tenía la destreza para tocar el instrumento, entonces lo que hizo una vez fue darme nuevas partituras, que ella nunca había tocado frente a mí y yo le canté las melodías.

A partir de aquellos episodios casi increíbles con Nahuel —cuenta Inés— no sólo cambió nuestra comunicación con él, sino que lo inscribimos en una escuela musical especial para niños. Y vimos cómo era capaz de desarrollar su propia estrategia frente al mundo. Ya no luchaba ni sufría contra el sonido ambiente, sencillamente se embebía en lo que más lo apasionaba: el estudio de su instrumento (pasó por varios), los conciertos, o hasta la costumbre de ponerse los walkman cuando salía a la calle. La tortura de su choque con el mundo fue desplazada por un placer reconciliatorio."

Hoy, el niño hipersensible es un ascendente cantante lírico que se ha mudado a Brasil y reside en las afueras de San Pablo, prudentemente lejos del ruido, pero lo bastante cerca de la música y el mundo urbano, a los que necesita para ejercer su arte. Un largo periplo lo llevó a encontrar su lugar. Fueron casi dos décadas, pasando por algunas otitis, distintas terapias, mucha dedicación y la mano fundamental de quienes lo reconocieron y lo acompañaron en gran parte de su recorrido.

CAPÍTULO 4

La inteligencia creativa

Metáforas, juego, aprendizaje

> *Una niña me decía hace poco que prefería la radio a la televisión porque la radio tenía imágenes más bonitas. Las palabras de la radio le daban a esta niña los estímulos para construir belleza, belleza proveniente de su imaginación. Esa imaginación es, precisamente, la base del futuro pensamiento simbólico y metafórico, pero también del pensamiento concreto y formal que requieren las matemáticas, la filosofía, las ciencias en general, y todo aquello que consideremos importante en materia educativa.*

> —JOSEPH CHILTON PEARCE (Psiquiatra)

La cita inaugural de este capítulo pertenece al autor de dos libros clave donde se tocan temas vinculados al sistema educativo y la terapéutica infantil en los últimos veinte años: *Magical Child* y *Evolution's End*. En ambos trabajos, este terapeuta norteamericano relaciona el aprendizaje con la imaginación, el juego y la espiritualidad. Pero es particularmente en el segundo de estos títulos, publicado en 1992, donde amplía la cuestión evolutiva en relación con los "nuevos niños" e incorpora un enfoque original y revelador en materia educativa.

Play: así se titula el capítulo donde **Pearce** aborda la importancia del juego, la metáfora, y la inteligencia creativa en la evolución del niño. El título es en sí mismo un juego idiomático a partir de lo que expresa el termino *play* en el idioma de origen, constituyendo la relación encadenada de significados que suscribe el diccionario (juego, representación, narración, acción, ejecución, recreo).

El niño que no ha sido educado en el juego, estará en riesgo a todo nivel. Es decir, dificultado para acceder a la resolución de problemas, al desarrollo intelectual, psíquico y afectivo; al desenvolvimiento en general: esa es la premisa de donde parte el autor.

El *juego* es para Pearce *el fundamento de la inteligencia creativa*, dado que empieza con la narración de historias; esas primeras referencias inmateriales mediante las cuales se construyen representaciones propias de los hechos, los seres y las cosas.

Aún antes de hablar, los niños escucharán cautivados las conversaciones de los adultos. Aunque para ellos entender las palabras es apenas incidental en el principio: es el sonido de esas sílabas lo que los fascina.

El autor se basa en la posibilidad creativa y *recreativa* del niño, quien mediante sistemas metafóricos inéditos consigue acceder a lo que denomina *source soup* o *cosmic soup*; sopa cósmica o universal del conocimiento. Su definición de esta "instancia nutritiva" se parece un poco a la que planteaba Platón: el hombre ha perdido su saber al atravesar el río Leteo (el río del olvido).

El acceso a la Paideia estaría despejado para estos niños cuya mayor apertura, basada en una flamante naturaleza creativa para incorporar saberes, pone a su alcance aquello que las generaciones anteriores han dejado en el camino. Desde esas primeras "sílabas" que fascinan, hasta la constitución de palabras, imágenes e ideas, surge el nexo, el puente, gracias al cual el niño llega a conclusiones propias, a cosmovisiones globales respecto de hechos y cosas que así *aprehende*: ese puente es la metáfora.

Los niños mágicos, integrantes de nuevas generaciones, identificadas por este psiquiatra e investigador, vendrían a desarrollar sus conocimientos y a su vez a transmitirlos mediante un procedimiento, en cierto modo, lúdico: nutrido gracias a la creatividad, a la capacidad simbólica y representativa. Por eso el juego, la narración, como materias primas, son tan importantes.

Elementos como la imaginación y la metáfora pasan, desde este punto de vista, a un primer plano, como conductores en la transmisión de saberes esenciales. La "canalización" se impone, en esta mirada, a la tradicional "acumulación" de información y conocimientos.

La metáfora —acierta el autor, luego de remontarse etimológicamente al griego— es la "imagen de transferencia". "La metáfora es la imagen que crea un puente entre un sentido y otro. El pensamiento metafórico resulta capaz de dar nuevos sentidos a las cosas y eventualidades. Y, a la vez, sugerir nuevas direcciones en la acción creativa".

Así conjeturan, deducen, resuelven y expresan los niños Índigo según Pearce. Y así confrontan, inevitablemente, con la linealidad mecánica a la que estamos acostumbrados. Valga como ejemplo de lo que dice el autor norteamericano, un caso testimonial recogido en esta investigación:

"La regla del tres simple es muy complicada", me decía hace poco Maxi, de apenas seis años, quien ya hace cálculos mucho más complejos que otros niños de su edad.

A su manera, Maxi planteaba que ese razonamiento no requería de ninguna regla, ni tan siquiera de una metáfora como el uso de manzanas en reemplazo de números. Él entendía perfectamente el tema de las proporciones y su rechazo por la metáfora, en este caso, no contradice la teoría de Pearce, por el contrario; la regla de tres simple no propone ninguna creatividad, no hay metáfora en ella, por más que se intente aparentarla. Es, precisamente, *una regla*, y como tal, el obstáculo por excelencia a la posibilidad metafórica real, que abra caminos creativos de aprendizaje.

La lógica de Maxi se aplica, como la de muchos de sus coetáneos, a partir de métodos alternativos que él mismo elige para llegar a distintas cuestiones básicas de la vida, donde los números son números, sin necesidad de disfrazarse, y la imaginación —la creatividad— va más allá de la repetición ritual que pretende incentivar a los niños preguntándoles "cuántas manzanas se comió Carlitos en una hora".

En cuanto al aspecto mediático y tecnológico, Pearce presenta reservas y advertencias. Así como resalta —por ejemplo, en el caso de la niña y la radio— lo positivo que puede llegar a ser determinado estímulo proveniente de los medios de comunicación, se manifiesta selectivo frente a los "soportes" en general. En este sentido, establece diferencias de forma y contenido entre lo que él llama *stimulus tools* (herramientas estimulantes) que gatillan la imaginación y otras que, en cambio, juzga alienantes.

Los contenidos mediáticos son otro tema de su preocupación (vale la pena aclarar que si bien Pearce se refiere específicamente a los Estados Unidos, la problemática que menciona tiende a globalizarse en todos los rincones de la Tierra). Se alarma ante los discursos xenófobos y violentos del *rap*, por ejemplo, un género musical masivamente consumido por preadolescentes en los Estados Unidos.

Su abordaje específico en cuestiones de este tipo resulta coherente con el alto valor que Pearce le otorga a lo metafórico. Él ve en este elemento un lenguaje de poder que invade al niño, instalándose y desplazando otras posibilidades, coartando su libertad, condicionándolo en aspectos fundamentales para el resto de su vida.

Desde lo sociológico, el autor rechaza, casi extensivamente, la reproducción simbólica de sentido en que está embarcado su país a nivel cultural e institucional. En particular en derredor de la violencia, y aun más en particular, de esa violencia en derredor de los niños. Recuerda en este sentido el caso de cierta canción que propiciaba en detalle una agresión sexual; título que a poco de salir a la venta fue prohibido, tras haber alcanzado, no obstante, una repercusión masiva en la población preadolescente.

No es casual, finalmente, que el fenómeno de los niños Índigo haya sido enfocado y estudiado por primera vez en los Estados Unidos, donde menores y adultos comparten el riesgo cotidiano de la exacerbación a todo nivel.

Que su nación procure con lupa la potencialidad de un cambio, de un giro evolutivo, de la irrupción de una nueva conciencia, es una necesidad que Pearce juzga imprescindible. Y lo hace a conciencia: paradójicamente, el suyo es el reino de la publicidad y el marketing a nivel planetario; un territorio metafórico por excelencia, donde la iconografía resulta tan importante como la realidad.

En mérito a ello, quizás la primera potencia mundial configure también un campo óptimo para la incorporación de un sistema de creencias renovado que los niños Índigo reproduzcan con su presencia. Desde la óptica cósmica, podría incluso pensarse que ellos mismos eligieron llegar masivamente a la Babilonia del tercer milenio: un escenario mundial fértil para la propagación de nuevos sentidos.

Palabras Índigo

La primera computadora que recuerdo, para mí fue como un juguete. La pantalla, los botoncitos, el mouse. Mi hermano mayor me dijo que no me acercara a ella hasta que él me explicara, porque manejarla era muy complicado. Yo igual la tocaba, y cada vez que me sentaba, aprendía algo muy rápido. Me contaba cosas, ella era como si fuera una película, pero mejor, porque las cosas que pasaban, también las hacía suceder yo mismo. Si apretaba un botón aparecía una letra, o cambiaba la pantalla, o escuchaba una campanita. No entendía qué quería decir mi hermano con eso de que era difícil. Pensaba: "¿Difícil para qué?". Para mí empezó como un juego y siguió siendo un juego. Nunca me va a parecer que una compu es un aparato difícil de entender. Al contrario, a mí los pasos se me abrían solos. A veces, como si la máquina adivinara a dónde yo quería ir. Especialmente cuando empecé a usar Internet. Todo era como ir eligiendo. El problema es ése; descubrir que hay que elegir todo el tiempo. Hay que elegir entre muchísimas cosas y eso te puede hacer confundir, no estar seguro de lo que querías cuando empezaste a buscar.

—BRIAN, nueve años

Sara, de treinta y cuatro años, es psicóloga y vive en Montevideo, Uruguay, con su esposo y dos hijos varones: Ariel de once y Brian de nueve. Ella fue quien me acercó el texto —parte de una composición escolar— cuyo fragmento incluyo más arriba y fue escrito por el propio Brian, muy recientemente.

Las observaciones de Sara sobre su segundo hijo revisten un aspecto doblemente interesante. En principio, no es la madre primeriza, con tendencia a ver en ese primer crío que acaba de llegar a su vida todas las virtudes y particularidades de la humanidad. Por otra parte, su vínculo profesional con la cuestión terapéutica puso énfasis en ciertas conductas que probablemente, en la mirada de otros padres, habrían pasado inadvertidas.

Sara accedió a contestar algunas preguntas acerca de su hijo. En particular, respecto del contexto en el cual descubrió que él era un niño Índigo. Intenté seguir, cuestionario por medio, las premisas básicas que remiten al fenómeno Índigo y su caracterología: cómo le iba a Brian en la escuela, cuándo tuvo ella alguna duda acerca de su comportamiento y por qué; si había algo que la preocupaba en particular, cómo tomó contacto con la palabra Índigo, etc. Lo que sigue es una síntesis de su testimonio:

"Yo siempre lo vi sano, física y psíquicamente. Eso nunca me preocupó. Pero lo notaba, sí, como demasiado movedizo, inquieto, casi diría que ansioso. En la escuela sus calificaciones eran completamente irregulares. Los docentes lo encontraban tan lúcido en algunas actividades como disperso en otras. Se entusiasmaba con ciertas tareas especiales. Le gustaban mucho los temas biológicos (le siguen gustando) y llegaba a dibujar láminas complicadísimas, con teorías explicativas que él mismo inventaba, que desarrollaba a partir de lo encontrado en una enciclopedia; enormes gráficos que superaban lo pedido por su maestra, pero que, aun un poco exagerados estaban muy bien, eran muy correctos, llenos de detalles explicativos. Si dibujaba un árbol, Brian se preocupaba, por ejemplo, de que todas las partes estuvieran muy definidas; los dibujaba transparentes, con sus anillos, sus nudos, sus raíces extendiéndose, sus brotes...; pero se dispersaba en otras materias que le interesaban menos. En esos casos, los maestros lo notaban totalmente ausente de la clase. Mientras se distraía, se dedicaba a dibujar plantas o animales ficticios, o escribía cartas a amigos invisibles, o a mí, o a su padre.

Lo llevamos a un terapeuta infantil que le diagnosticó apenas una leve dificultad para concentrarse. Como eso no nos conformó, pasamos por varios especialistas, uno de los cuales le diagnosticó ADHD. Yo tenía alguna noticia de algo llamado ADD, que según sabía era un síndrome infantil vinculado a la atención, o mejor dicho a la falta de ella. Este colega (en realidad un psiquiatra que se había especializado en niños) nos dijo que efectivamente, esta era una variante del mismo. En español viene a ser "Síndrome de hiperactividad con déficit de atención". Nos sugirió seguir un tratamiento dirigido a aliviar el problema en conjunto, que incluía una medicación. Pero como ni mi marido ni yo somos partidarios de medicar a nuestros hijos salvo en casos absolutamente imprescindibles, optamos por investigar un poco más acerca de este asunto del ADHD.

Tomamos contacto por primera vez con la palabra Índigo, buscando información en Internet, pues según las páginas donde se mencionaba ADD o ADHD estos pequeños suelen ser diagnosticados como diagnosticaron a mi hijo. Así fueron surgiendo todas las demás "coincidencias", desde el aspecto físico, al rechazo de Brian por la carne, su fascinada disposición a la tecnología, su capacidad de anticipación ante ciertos hechos, los descubrimientos o presagios que en principio nos parecían disparatados y luego comprobábamos eran acertados.

El tema del aura, planteado a partir del libro *Índigo Children,* nos llamó la atención; cuando Brian tenía seis

años, una mujer amiga de mi esposo dedicada a temas esotéricos, que luego se mudó a Alemania y actualmente vive
allí, especializándose en esa área, había dicho de él que tenía una aureola "azul profundo" que ella percibía con gran
intensidad y le gustaría hacerle estudios específicos. Pero
no queríamos someter al niño a experimentos, sino que su
vida transcurriera equilibrada, felizmente. Lo mismo respecto del ADN, que era el otro aspecto tan recalcado en las
páginas web, en los recortes periodísticos. Si en algún momento, cuando sea mayor, Brian quiere hacerse exámenes
de algún tipo, podrá hacerlo. Por ahora nos parece bien es-
timularlo, pero no ponerlo a prueba.

En cuanto a su salud, siempre ha estado muy bien, a pesar de tener una contextura pequeña, más tendiente a la
delgadez. Come poco, no le gusta la carne de ningún tipo.

Con respecto a su educación, decidimos no presionar-
lo y permitirle un acceso lo más abierto posible a los métodos y caminos que él elige. Su relación con los temas
biológicos y científicos es de una pasión increíble y su capacidad para informarse, con los libros en un principio, y
con las computadoras después, es asombrosa. Ha llegado
a ponernos al tanto de temas que nosotros ignorábamos
completamente.

El otro día nos hablaba de unos animales marinos que
cambiaban la rugosidad de la piel y el color como pantallas móviles, de acuerdo con sus necesidades de supervivencia. No era un simple camaleón lo que él describía sino una especie de pulpos que trasformaban sus "espaldas"
como si fueran monitores de TV por donde "pasaban" colores e imágenes emulando el medio en el que se encontraban, mimetizándose con los corales, las algas, el fondo
de arena... Al principio creíamos que estaba inventando, y
unas semanas más tarde vimos en el Discovery Channel lo

mismo que él nos había contado. Lo había tomado de la web, y lo sorprendente era la precisión con que lo había descripto, porque era tal cual lo que estábamos viendo. Cuando fuimos a decirle esto, casi angustiados por no haberlo tomado en serio, Brian no se inmutó para nada. No estaba ofendido. Lo que hizo fue guiarnos a su cuarto, prender la PC, abrir un archivo donde tenía guardadas esas mismas imágenes que nosotros habíamos visto y mostrárnoslas. Nos dejó perplejos: él ya contaba con las pruebas de lo que nos había dicho y sin embargo ni siquiera se había molestado en confrontarnos con ellas para convencernos. Su padre y yo le preguntamos por qué no lo había hecho, para convencernos, o para mostrarnos que él sí tenía razón, y simplemente contestó 'porque me pareció que no les interesaba'."

Conversaciones

No fue fácil encontrar niños Índigo cuyos padres aceptaran "exponerlos" a una entrevista. Cuando accedí personalmente a algún caso, se me pidió, no obstante, mantener la reserva de su identidad. Sin embargo, de esos encuentros surgieron diálogos donde la espontaneidad y la manera de relacionar conceptos, resultarán familiares para muchos padres y docentes.

Segunda entrevista con Maxi, de seis años, hablando acerca de Internet:

—Uno escribe lo que busca y aprieta el botón grande, ese que dice ENTER, y entra. Es fácil; ¿dónde vas a poner lo que buscas?; en el único lugar en el que puedes escribir. Después, si te aparecen demasiadas cosas, a lo mejor tienes que volver a escribir lo que buscas y poner las palabras clave.

—¿Qué son las palabras clave?

—Son las palabras que hacen más especial lo que buscas. Si por ejemplo, buscas perros, te aparece "perros", pero "perros" escrito millones de veces.

—¿Cómo "perros escrito millones de veces"?

—Claro, te aparece la palabra perros en todos los sitios de Internet en que la palabra perros figura escrita. Entonces le tienes que decir a la máquina que quieres fotos de perros y no que te muestre cada vez que está escrito "perros" en alguna parte. Entonces, otra vez: hay que pedirle "perros" y elegir donde dice "fotos". Es fácil. Y donde quieres entrar, aprietas el botón del mouse y ya. Por eso lo que usas se llama buscador; te busca lo que tú necesitas. Pero igual te puede encontrar demasiados sitios donde hay fotos de perros.

—¿Y tú qué haces cuando entras a Internet: qué es lo que más buscas?

—No busco nada. Elijo. Siempre tienes opciones. Yo lo que hago es empezar a preferir. Encuentro cosas que me gustan y luego vuelvo a preferir dentro de esas cosas, igual que cuando haces un dibujo, dibujas una parte que te gusta más y así... Cuando te aburres empiezas un dibujo distinto.

Cartas

Insisto, obtener un testimonio directo por parte de los niños Índigo no es fácil. Los padres muestran gran disposición a relatar experiencias y exponer las características de sus hijos, pero a la hora de cederles el lugar a los niños —los principales protagonistas— para que hablen y den su testimonio, se tornan generalmente —y con bastante lógica— reacios a la exposición de sus hijos.

En el sentido inverso, por intermedio de Internet, se presentan solícitos y bien dispuestos a comunicarse los *adultos Índigo*, es decir, personas que al informarse del fenómeno, consideran que han sido niños o niñas Índigo y que creen conservar algunas o muchas de las características que los definirían en tal sentido. En la medida en que estas sospechas surgen a partir de la propia mirada, subjetiva, autoreferencial, resultan sumamente parciales, pero no siempre descartables. Recibí algunos mensajes interesantes provenientes de gente joven, muy cercana aún a su infancia y especialmente abierta a comunicar su experiencia.

Molly Hamilton Baillie (molly_indigodoll@hotmail.com) estudiante de Historia, de veinticuatro años no sólo contestó mis cuestionarios, sino que se interesó especialmente por esta investigación y me envió extensos mails, subrayando siempre su voluntad de apoyar todo aquello tendiente a divulgar el fenómeno Índigo. A continuación, reproduzco fragmentos de esas colaboraciones espontáneas:

Día a día batallo con mis miedos, algunos recuerdos desagradables, y también con la emoción de haber descubierto lo que soy. En general, a pesar de mis luchas internas, siempre he vivido en armonía con la naturaleza, he respetado a todos los entes, y a las personas; el problema fue adaptarme a la falta de armonía ajena que, con frecuencia, siento que me invade.

El yoga, el tai-chi, la meditación, los ejercicios espirituales me ayudan. Adoro levantarme a las 6,30 de la mañana para salir a pasear por el jardín e impregnarme del olor de las flores, la enredadera y el césped mientras desayuno y miro al cielo largo rato. Me encanta cuando la brisa y el viento rozan mi cara. Aprovecho para hacer mi Pranayama.

Sigo siendo intolerante con los sistemas tradicionales de la universidad como lo fui, en su momento, respecto de la escuela; me gustaría hacer algo para cambiarlo, la mayoría está conforme con él. Mis compañeros opinan que la universidad es difícil, y la verdad es que no es difícil, es aburrida, monótona. Para obtener el diploma tendré que hacer la vista gorda, lo mismo que hice en la escuela. Me he rebelado muchas veces y he llegado discutir con una profesora por lo arcaico del sistema. Pero como mis choques nunca son violentos ni agresivos, la profesora finalmente entendió los planteos y ahora es una gran aliada y amiga en la universidad. Las personas mayores son para mi respetables, en tanto demuestren que han utilizado sus años para aprender.

Me gusta andar descalza casi todo el día, pisar el pasto. Cuando salgo a la calle no es un problema ponerme las sandalias, los tacones y demás como cualquier chica. Hay algunas prendas que me molestan y me ahogan, depende del material, la lana es algo compleja para mi gusto, lo que más me agrada es la ropa de algodón sencilla. Descubrí esta coincidencia, e incluso que arrancamos las etiquetas de las prendas porque nos molestan en el roce del cuello, comentándolo por mail con otros Índigo.

Desde que era una niña, les enseñaba a mis tíos, a mis padres, a conocer las cosas. No sé de dónde me salían las palabras, pero para mí todo era enseñar, y ellos se reían, porque les resultaba gracioso que una nena hablara con los grandes de igual a igual; recuerdo que mi madre me decía: no te quiero escuchar hablar con los mayores, quedas como una maleducada. Pero yo siempre estuve convencida de que "ya" era grande.

Creo que siempre fui igual, y la razón es que mi espíritu, siempre lo fue, como el de todos, nuestro espíritu no está sujeto a cambios. Quizás por eso hasta me cuesta recordar que mi cuerpo fue alguna vez diferente. No fui demasiado consciente de esos cambios.

Aunque nosotros tengamos que ser flexibles primero, este es un proceso para todos los chicos, chicas y adultos Índigo, el mundo va camino de flexibilizarse, poco a poco.

Vamos a tener que tomar de las manos a nuestros padres, familiares, amigos, en fin, a todos, para facilitar el cambio.

Extremo el uso de los sentidos; en mi casa se sorprendían cuando además de mirar las cosas las olía, y si se podía, las saboreaba. Al viento me gusta oírlo, busco partículas en el aire, las veo dando vueltas, aspiro bocanadas para ver cómo sabe.

Capítulo 5

Polémica sobre el factor genético

ADD, ADHD y medicación

Curar es, ante todo, no hacer daño

—Hipócrates

Cuando se habla de los niños Índigo suele decirse de ellos que vienen al mundo con un sentimiento de realeza, y se sorprenden cuando otros no comparten esa misma sensación; la autoestima no sería para los niños Índigo un tema de preocupación. **Georg Kühlewind** asegura, por ejemplo, que *simplemente no harán ciertas cosas, como esperar en una fila,* y que se frustran ante sistemas rituales o ante métodos que excluyen todo pensamiento creativo.

Esta actitud se correspondería con sus *mejores formas de hacer las cosas,* tanto en la casa como en la escuela. El caso del niño que ante la pregunta de "qué números son divisibles por dos" contesta "todos", da cuenta, entre otros, de la síntesis de la que son capaces en la resolución de problemas. Sin embargo, esta misma actitud menos metodológica de lo habitual, los hace parecer rebeldes e inconformes respecto de ciertos códigos establecidos.

El rechazo, tanto por la linealidad metódica impuesta desde afuera, como por las coerciones, amenazas e imposiciones que padres y docentes aplican convencionalmente en su idea de educación, pone en el tapete el problema de los niños Índigo y la autoridad.

El tema de la conducta, o mejor dicho, de la resistencia al sistema que el niño Índigo juzga arbitrario, sin explicación comprensible para él, provoca recurrentes consultas a distintas evaluaciones psiquiátricas. En algunos casos, los profesionales propician una medicación tendiente a "encarrilar" su atención, regularizar el comportamiento o disciplinarlos para cumplir objetivos preestablecidos.

En ese contexto reaparecen medicamentos alopáticos que fueron lanzados al mercado en los años '70, pero no habían sido concebidos para tratamientos en niños. Entre ellos se cuenta la denominada "Ritalín" o "Ritalina": una droga del tipo de las anfetaminas que, sin embargo, en los niños menores de diez años, actúa como tranquilizante. El producto cambia de nombre en sus diversas denominaciones comerciales y suele irrumpir en el discurso médico junto con el diagnóstico de "Hiperactividad con falta de atención".

En el foro de discusión de la página de Internet, *elclubninosindigo*, cotidianamente aparecen mensajes y respuestas de madres con dudas sobre sus hijos. Los siguientes corresponden al resumen diario de mensajes del *site* del sábado 16-3-02:

> Mi nombre es Any. Hace dos días, por un programa de TV, supe de la existencia de los niños Índigo; desde entonces no he dejado de buscar información respecto del tema en libros, artículos médicos, etc. La razón de esta gran inquietud es que tengo una hija de 15 años que fue diagnosticada con ADD nueve años atrás y por lo tanto toma la Ritalín. Siempre he pensado que mi hija es inteligente y diferente; cuando ella estaba en los primeros grados del colegio me tocó discutir mucho y hacerle ver a los profesores que no era floja sino que se aburría y por lo tanto sus calificaciones eran regulares. Se le hicieron pruebas, tests de inteligencia, y los resultados estaban muy por arriba del "average" de los niños de su edad. Esto ha sido y es una lucha diaria, ella ahora esta en High School, sus calificaciones son excelentes pero... leyendo artículos como los de María D. Paoli, José M. Piedrafita y otros, estoy convencida de que se ha cometido un gran error. Mis preguntas son muchas. Quisiera saber si aquí en Miami hay alguna organización, clubes, especialistas que la ayuden

a encontrarse, a canalizar sus vibraciones. ¿Es posible que no necesite la Ritalín para concentrarse? Estoy segura de que me podrán ayudar. Gracias.

Respuesta de una participante del mismo foro:

Any: soy chilena y tengo cuatro hijos, el mayor de ellos, Gianluca de 12 años, también ha sido diagnosticado con déficit atencional y además un trastorno especifico de aprendizaje. Paralelo a ello, su coeficiente intelectual está en el rango superior al brillante, sin llegar al superdotado... Hemos peregrinado por toda clase de especialistas sometiéndolo a tantas pruebas como nos fue posible.

Él se encontraba tomando esa misma medicación que mencionaste desde los seis años y de pronto, no quiso tomarla más, padecía de dolores de cabeza y además gastritis, sumado a que su autoestima bajó por creer que no es capaz de funcionar sin el fármaco...

Definitivamente, las madres poseemos la capacidad de empatizar con ellos y comprender sus puntos de vista... estamos, al igual que ustedes en un despertar del tema, tomando conciencia de que la salida debe ser lo antes posible y con la mayor de las claridades... ignoro hasta ahora, quien más nos podría ayudar, por ello, me sumo a tu inquietud y espero tengamos buenos logros... tengo mi Fe...
un abrazo, desde Concepción, Chile.

La confluencia del *diagnóstico y tratamiento ADD + Ritalina* constituye en sí misma una alarma para los padres; una advertencia que, en el buen sentido, lejos de desesperar, podría conducir al replanteo sobre la naturaleza de su hijo y sus necesidades.

Los psicofármacos no son una novedad, en la medida en que la alopatía actúa sobre síntomas de la conducta. La psiquiatría —a veces enfrentada al psicoanálisis en este sentido— aporta la medicación como principal vía de alivio para las "disfunciones" que en algún momento de la historia se designaron, vaya paradoja, "enfermedades del espíritu".

Si bien el síndrome ADD o ADHD no define necesariamente a un niño Índigo, la cantidad de casos en que se localizan simultáneamente ha sido notable.

Es probable, entonces, que un niño con ese aparente "déficit" abra, a partir de dicho cuadro, la posibilidad de ser contemplado de otra manera. Y desde esa otra perspectiva, allí donde parecía presentarse una enfermedad intrínseca, se revele, en cambio, un panorama de virtudes.

ADN: El factor genético

Según los testimonios obtenidos durante mis primeros acercamientos al tema, los niños Índigo presentarían cierta particularidad genética de perspectivas revolucionarias a nivel científico.

María Dolores Paoli, especialista en Psicoespiritualidad, plantea, textualmente en la web, lo siguiente:

> Ya tenemos confirmación, científicamente hablando, del cambio que aportan estos chicos, manifestándose en la activación de cuatro códigos más en el ADN. Lo normal en los humanos es tener cuatro núcleos que, combinados en sets de 3, producen 64 patrones diferentes, llamados códigos.

> Los humanos tenemos 20 de esos códigos activados que proporcionan toda la información genética. Exceptuando tres códigos, que son los códigos de arrancar y parar, como si fuese una computadora.

> Hasta ahora la ciencia ha considerado a estos códigos desactivados como programas remotos que hoy en día no necesitamos.

Pero aparentemente los niños Índigo nacen con un potencial de activación de cuatro códigos más, que se denota en un claro fortalecimiento del sistema inmunológico.

Esto ha quedado demostrado por estudios realizados en la Universidad de California (UCLA). Algunos de esos experimentos han consistido en aplicar dosis letales cancerígenas y de virus del HIV a una muestra de células de niños Índigo comprobando que éstas seguían reproduciéndose en forma normal.

Luego hicieron el mismo experimento con diferentes tipos de virus encontrando que dichas células eran inmunes en todos los casos.

Enterado del tema ADN, envío un mail a María Dolores Paoli (*mpaoli@cantv.net*) pidiéndole su colaboración en este libro mediante un informe completo donde consten las fuentes precisas de dichos estudios. Tras haber pasado varios días sin obtener respuesta, decido procurar información por otro camino.

Recurro entonces al licenciado **Carlos Rocco**, investigador en genética del CONICET (Comisión Nacional de Investigaciones Científicas y Técnicas) de la Argentina, asignado al área "Receptores del virus HIV". Rocco integró un grupo de investigación sobre el tema cuyo trabajo final obtuvo el *Premio Salud 2001* a nivel nacional.

Tras enviarle al genetista una copia literal del texto precedente y pedirle su opinión al respecto, recibo su evaluación por escrito, que dice:

"(...) El párrafo sobre el ADN, es, en principio, ininteligible. Sin embargo y ahondando en su lectura, podemos deducir, basándonos en los números que menciona, que cuando el autor dice 'núcleos' se refiere a 'nucleótidos' y los 'sets de tres' equivaldrían a un codón.

Esto puede obedecer a errores de comunicación, traducción o vocabulario. En cuanto a sus afirmaciones posteriores, lo único que puedo comentar es que los sesenta y cuatro codones codifican para veinticuatro aminoácidos, y todas las formas de vida en el planeta Tierra —desde cada uno de los organismos unicelulares hasta el ser humano— poseen este código único.

El autor posiblemente haya relacionado alguna particularidad de los 'niños Índigo' con la síntesis de aminoácidos, pero esto de ninguna manera implicaría que se activen cuatro codones más, ya que absolutamente todos los codones tienen una traducción en aminoácidos, o sea una función específica.

En cuanto a que 'hasta ahora la ciencia ha considerado a estos códigos desactivados como programas remotos que hoy en día no necesitamos' es necesario aclarar que en ningún momento los científicos han considerado que el ADN no codificado, o no traducido, sea innecesario, ya que podría, por ejemplo, cumplir una función de sostén.

La hipotética demostración de que los niños Índigo nacen con un potencial que se denota en un claro fortalecimiento del sistema inmunológico 'según estudios realizados en la Universidad de California (UCLA)' merecería un informe más completo acerca de los profesionales participantes, las condiciones de tiempo y lugar en que fueron hechas esas experiencias, bajo qué parámetros o qué tipo de estadística se utilizó, etc. En la forma en que se exponen no son demostrativas de lo que pretende el autor.

Por otra parte, las células cancerosas, no son infectivas y jamás podrían 'enfermar' a células sanas, pues lo que hacen es reproducirse indefinidamente a sí mismas, pero no contagiar a otras.

En general el lenguaje es ambiguo y resulta, por lo tanto, difícil de interpretar o extraer de él conclusiones válidas."

Hasta aquí, dos opiniones evidentemente opuestas sobre un tema inicialmente biológico cuyas extensiones podrían ramificarse a otros campos de discusión que incluyen lo espiritual, la psicología evolutiva y territorios de la investigación interdisciplinaria. Decido, pues, procurar una tercera opinión en relación con el ADN. Recurro, en este caso, a un psiquiatra, terapeuta de alto prestigio y reconocimiento en su área.

El enfoque antroposófico

Roberto Crottogini fue pediatra, docente universitario de la Facultad de Medicina y de la Facultad de Psicología de la Universidad de Buenos Aires, psicoterapeuta infantil y familiar. Tomó contacto con la Antroposofía en 1979 —llegó a ser presidente de la Asociación Argentina de Medicina Antroposófica— y desde entonces se dedica a su práctica y docencia.

El doctor Crottogini ejercitó en muchas oportunidades la experiencia de la escritura especializada para comunicar las opiniones, evaluaciones y hallazgos que acontecen en su campo de interés. Merced a esa experiencia puede volcar en un texto mayor claridad pedagógica de la que surgiría de un reportaje. Juzgo oportuno, entonces, pedirle una colaboración de su propia firma con respecto al tema ADN. Tras acceder cordialmente a la convocatoria me hace llegar las siguientes líneas al respecto:

"Hay solamente cuatro concepciones globales de la medicina: dos orientales y dos occidentales. Las dos primeras son la medicina china (medicina meridiánica) y la medicina ayurveda que se pierden en los albores de la cultura (3.000 a 5.000 años atrás). Las otras dos provienen de Occidente y son la Homeopatía (200 años) y la Antroposofía (100 años). Cuando decimos globales significa que observan al hombre como totalidad en salud y enfermedad y no solamente su cuerpo físico.

Este es el caso de la medicina convencional, académica o de las funcione cuya imagen del hombre se reduce a una máquina (recordar *El hombre Máquina* de La Mettrie) casi perfecta que en el transcurso del siglo xx se ha sutilizado merced a la física subatómica, la cibernética, la ingeniería genética y la biotecnología.

Todos los adelantos de la ciencia en este último siglo han colocado al hombre al borde del caos: un intelecto superdesarrollado y una moral casi inexistente que le han hecho decir a Omar Bradley: "Comprendimos el misterio del átomo y rechazamos el sermón de la montaña, el nuestro es un mundo de gigantes nucleares y de enanos éticos".

¿Y qué es entonces la Antroposofía? La ciencia espiritual o sabiduría (Sofía) del hombre (antropos) desarrollada por el filósofo austriaco Rudolf Steiner (1861-1925) es el corolario de un gran esfuerzo metodológico, científico y gnoseológico para brindar a la humanidad un camino de acceso a un mundo causal, suprasensible o simplemente "espiritual".

Aquel viejo conflicto del alma humana entre Verdad y Fe, entre Ciencia y Religión, se desarrolla aquí cabalmente mediante una teoría del conocimiento (gnoseología) basada en Goethe que le permite al ser humano observar su propio pensar (*Filosofía de la libertad*, de Steiner) y alcanzar una dimensión superior de la Conciencia.

Así como al despuntar el siglo xx Sigmund Freud descubre los abismos de lo inconsciente y postula su dominio sobre un débil yo humano, la Antroposofía nos permite reconocer nuestro verdadero *yo* trascendente y la posibilidad de elevarse a lo supraconciente.

La Antroposofía se manifiesta en el mundo a través de distintos canales: el arte, la filosofía, la agricultura biodinámica, la pedagogía, la medicina y la cuestión social, entre otras.

En el caso de la medicina, se considera al hombre formado por una estructura ternaria: *cuerpo*, *alma* y *espíritu*.

Todos podemos comprender el funcionamiento del cuerpo físico y constantemente observamos los vaivenes de la biología celular cuando se enfrenta al estrés, a las infecciones, a la autoagresión o al caos tumoral. También podemos comprender la influencia de la alimentación, la polución y la intoxicación medicamentosa producida por los fármacos administrados.

Todo lo inherente al cuerpo físico material es exterior a nosotros ("ocurre afuera") y lo podemos ver y estudiar objetivamente decidiendo conductas tales como la inhibición, el reemplazo, la amputación o la supresión de "ese conjunto de células y tejidos" que llamamos "ser humano". Esta imagen del hombre es característica de una medicina convencional, tecnológica y superespecializada en órganos, aparatos y sistemas pero muy lejos de la esencia de dicho ser humano.

Ahora bien, es mucho más difícil entender lo que no es evidente a los sentidos, como es el concepto de *alma*. Lo que llamamos *alma* en la Antroposofía es algo mucho más amplio que el concepto de mente o psiquis. Es en realidad nuestro inmenso mundo interior, un espacio misterioso, secreto, íntimo, donde se juegan permanentemente nuestras verdades más profundas, nuestros valores y nuestras miserias (que incluyen la "sombra jungiana"). Es el ámbito del eterno presente.

Se torna ahora más sencillo comprender la profunda incidencia que las sensaciones y sentimientos que viven en el alma humana puedan tener en el ámbito de la biología (cuerpo físico).

Así no sería nada descabellado afirmar que el 'miedo enferma' o la 'esperanza cura'.

También sería muy claro comprender cómo ciertos patrones culturales (creencias, preconceptos o paradigmas) arraigados en el alma humana pueden precipitar fenómenos biológicos tales como el nacimiento de un nuevo ser, la evolución de una enfermedad o el tiempo de sobrevida.

Y ahora tratemos de entender qué es el *espíritu*. He aquí la esencia de lo humano..., la individualidad, lo irrepetible e inédito... el yo. Es aquello que se manifiesta interpenetrando el Alma y el Cuerpo. Se expresa en el cuerpo físico desde sus primeros balbuceos logrando la postura erecta, el hablar y el pensar.

Es el instrumento de nuestra *voluntad*. Es el responsable de nuestra identidad biológica (impresión digital, tono de voz, sistema inmunológico, etc.) Es lo que nos confiere la posibilidad de pensar, entendiendo por ello: la observación, el discernimiento, la reflexión, el cambio de punto de vista, la escucha del discurso ajeno, la discriminación del fenómeno percibido y la emisión de un juicio.

Es el instrumento que nos ayuda a encontrar el verdadero sentido de la vida.

Si ahora imagino cualquier fenómeno biológico en la profundidad de un océano anímico espiritual, como es el ser humano, ¿sería capaz de aventurar un pronóstico de enfermedad de su cuerpo físico, me animaría a hablar de 'enfermos terminales', por ejemplo?

¿Sería realmente lo más importante lo que ocurriera con ese cuerpo físico atisbando lo que significa la *conciencia* del ser que lo habita?

Estas consideraciones nos pueden guiar hacia esta concepción del hombre llamada medicina de orientación antroposófica, que cuenta además con medicamentos naturales extraídos de los tres Reinos y dinamizados prolijamente, un estudio profundo de la biografía humana, una terapia artística que incluye el movimiento (euritmia) una alimentación individualizada y un restablecimiento de los *valores* como sustento para enfrentar un desequilibrio biológico llamado enfermedad.

En cuanto a la *polémica sobre el ADN*, esta concepción que he presentado se apoya en una teoría del conocimiento (gnoseología) basada en las investigaciones de Goethe, a partir de lo cual tenemos las herramientas necesarias para considerar cualquier tema, desde lo eminentemente científico natural, hasta los mundos suprasensibles, esto es, más allá de los sentidos.

Este es el caso de las observaciones de la "especialista en Psicoespiritualidad" María Dolores Paoli y la información brindada por el genetista Carlos Rocco (textos sobre los que se me consulta en la presente investigación). Esta polarización de opiniones es habitual entre un astrólogo y un astrónomo, entre un matemático y un cabalista o entre un científico natural y un psicoespiritualista.

La autocalificación de "especialista en Psicoespiritualidad" es de por sí irritante para un cientificista ortodoxo, quien va a criticar rigurosamente cada párrafo leído, buscando demostrar lo que "no es científico", antes que imaginar lo aún no demostrado como posible.

Hay una raza de científicos actuales de la talla de Fritjof Capra, David Bohm o Rupert Sheldrake e incluso la de aquellos como Albert Einstein, E. Schrödinger o Max Planck que marcaron rumbos a la humanidad, derrumbando estructuras y paradigmas, sin compasión por los ortodoxos de su época...

"Una verdad científica no triunfa porque se logre convencer a sus opositores para que vean las cosas con claridad, sino porque los opositores acaban por morir y surge una nueva generación que se familiariza con la nueva verdad", afirmó Max Planck.

Esto no quiere decir que corresponda insertar cualquier información semisensacionalista en un marco seudo-científico para justificar la presencia entre nosotros de una super raza de "niños Índigo" que no habíamos imaginado jamás, manejando a su gusto los destinos del planeta.

Un buen ejercicio epistemológico nos exigiría establecer un código amplio de comunicación entre distintas disciplinas, respetando profundamente un punto de vista diferente del nuestro, con la verdadera vocación de aprender cada día algo nuevo, que surja de una labor interdisciplinaria rica en ideas y conceptos, para que nuestro pensar alcance la verdadera madurez que nos debemos a cada uno de nosotros, como integrantes de esta enorme nave llamada también: planeta Tierra.

Sería bueno recordar frecuentemente aquellas palabras de Gastón Paris:

"No hay nada que divida tanto a los hombres como la creencia absoluta de ser dueños de la verdad... y no hay nada que los aproxime tanto como la noble tarea de buscarla en común."

Sólo a esta altura me siento capaz de hablar sobre el tema propuesto, tan controvertido, como la modificación del ADN en una nueva generación de seres. Creo que dicha transformación no es lo más importante, desde una concepción antroposófica que pueda llegar a percibir la espiritualidad humana a través de sus manifestaciones en el plano físico, sino la modificación de la conciencia en sí de una nueva camada de niños que en vez de 'niños Índigo' podríamos llamar 'niños estelares' priorizando lo espiritual por sobre lo terrenal.

También pienso que la importancia atribuida a los genes en estos últimos años, tiene mucho más que ver con una decadencia de la visión espiritual del hombre y una necesidad primaria de reemplazar aquella devoción por lo absoluto por una 'deificación' (transformación en Dios) de la ingeniería genética y la biotecnología.

¿Qué me dice a mí el sentido común desde una perspectiva antroposófica?

1- No es precisamente la modificación del ADN lo que va a generar nuevos seres sino que los nuevos seres que lleguen, si lo necesitan para su tarea, serán los que modifiquen convenientemente su ADN.

2- Es mucho más importante que esta comprobación científica respecto al ADN, la transformación de la conciencia planetaria de los seres que habitualmente nacemos y morimos en esta Tierra.

3- Yo he atendido a muchos seres de esta nueva generación llamados 'niños estelares' y también han tenido esta experiencia muchos maestros Waldorf (pedagogía antroposófica).

4- Personalmente he guiado a Flavio Cabobianco (autor del libro *Vengo del sol*) y a sus padres, para ayudarlo a adaptarse a la densidad planetaria.

5- Con lo expuesto quiero desalentar esperanzas de un reconocimiento científico convencional de este fenómeno: no es imprescindible dicho cambio genético para aceptar la presencia de nuevos seres, es mucho más importante abrir nuestro corazón a la dinámica de lo *vivo*, a seguir firmes los dictados del *amor universal* y ser capaces de escuchar en la caída del pétalo de una rosa la música de las esferas."

CAPÍTULO 6

Antroposofía y Psicoanálisis aportan a la comprensión del tema

El amor lógico

Una de las primeras informaciones recabadas acerca de los niños Índigo, a través de recortes periodísticos y artículos varios, refiere a cómo deben actuar los padres y docentes.

Los problemas de "amoldamiento" o adaptación que presentan estos niños ante determinados parámetros propios de la educación escolar tradicional, de la crianza, del trato con adultos, llevaron a la doctora **Doreen Virtue** —psiquiatra de nacionalidad norteamericana, especializada en el área infantil— a poner en Internet el siguiente decálogo, dirigido a padres y educadores:

1- Trate a los niños Índigo con respeto, honre su existencia en la familia.

2- Deles la oportunidad en todo.

3- Nunca los desprecie ni los haga sentir pequeños.

4- Explíqueles siempre el porqué. Si les da instrucciones, no use la frase "porque yo lo digo", corrija la instrucción; ellos lo respetarán si lo hace, pero si les da órdenes sólidas y en forma dictatorial, los niños lo harán a un lado.

5- Conviértalos en sus socios en su propia crianza. Piense bastante este punto.

6- Desde la temprana infancia explíqueles todo lo que está haciendo; ellos no le entenderán, pero su conciencia y el hecho de que los esté honrando se hará sentir. Esto es una ayuda muy eficaz para cuando ellos empiecen a hablar.

7- Si surgen problemas serios, como hiperactividad y desorden de la atención, escuche distintas opiniones antes de suministrar drogas.

8- Proporcióneles seguridad cuando les brinde apoyo. Evite críticas negativas.

9- Hágales saber que siempre los apoya en sus esfuerzos.

10- No les diga quiénes son ellos ahora o quiénes van a ser más tarde; ellos lo saben mejor que usted. Déjelos decidir lo que más les interesa: estos niños no van a ser seguidores de nadie.

Los especialistas subrayan la necesidad de hablarles a los niños Índigo con la verdad. Pues, aparentemente, ellos detectan la mentira como si leyeran el pensamiento (se ha dicho que, de hecho, lo leen) y no toleran el engaño. Con lo cual, toda metodología coercitiva habría de fracasar en la crianza, además de obstaculizar su desarrollo evolutivo.

Las disciplinas que han empezado a abordar el fenómeno Índigo y con él a sus pequeños protagonistas, son muchas, aunque no siempre están enroladas en la medicina tradicional.

En su libro *La Tierra como escuela / Biografía humana: Proyección terrena de un acontecer cósmico*, el doctor Crottogini aborda, en particular, las instancias temporales de la existencia terrenal del ser humano, desde una concepción científico-espiritual. El autor examina la vida de un individuo en etapas de siete años —"septenios"— caracterizadas por una serie de incidencias interrelacionadas y analizadas desde la Antroposofía y sus propias observaciones cosechadas a través de un largo período de análisis y observación:

"En cada septenio se produce un nuevo nacimiento y el desarrollo de una nueva etapa en lo físico, anímico y espiritual. Cada uno de estos ritmos septenarios está regido por una fuerza planetaria que proyecta su influencia eterna sobre la vida presente.

Al mismo tiempo que la física subatómica 'desmaterializa la materia', que las investigaciones sobre la conciencia humana trascienden el cerebro físico y que la psicología Transpersonal da cuenta de un Yo superior, la Antroposofía perfecciona una metodología precisa para penetrar en dichos mundos superiores: el estudio de la biografía humana."

La búsqueda de perspectivas abiertas a nuevas posibilidades me lleva a reunirme por segunda vez con este especialista, para indagar más profundamente en torno del fenómeno Índigo. Le planteo entonces algunas cuestiones que surgen a medida que avanza mi investigación:

¿Cuál sería el cuidado para que, en su primer septenio, es decir, entre el nacimiento y los siete años, un niño que posee cierta naturaleza privilegiada, ciertos dones, no los pierda, oculte o sofoque, y en cambio los potencie en su beneficio y el de quienes lo rodean? ¿Existe la probabilidad de pensar que comunicándonos con un niño como si fuera Índigo, es decir según las pautas sugeridas por los especialistas —mayor tolerancia, disposición, respeto, atención a lo aparentemente inexplicable— estemos, en ese mismo acto, impulsando una nueva generación con aptitudes más positivas?

A partir de estas preguntas, y de su experiencia en el tema, Roberto Crottogini nos aporta su enfoque profesional y humano, incorporando una idea que él define como "el amor lógico":

"Las primeras reflexiones que nos ocupan al hablar de niños especiales, estelares o Índigo tienen que ver con el universo propio del Ser, insertado en su 'nuevo' estadio de 'niño' en la Tierra. El misterio profundo de una conciencia desplegada a nivel cósmico que debe constreñirse una vez más para integrarse a la materia en su largo devenir evolutivo. En el primer septenio de la vida, la conciencia del Yo se 'asoma' a través de ese nuevo cuerpecito que deberá conocer como su nueva morada y del nuevo mundo que la cultura humana ha constituido durante su 'ausencia transitoria'.

Por este motivo es tan difícil la infancia en cuanto a la adaptación a las nuevas reglas y tan hermosa en cuanto a la fascinación de descubrir el nuevo mundo.

De allí entonces que el niño pequeño es un implacable imitador de este nuevo mundo exhibido por sus padres, su familia, su raza, la herencia de dicha raza, los nuevos paradigmas culturales y todas las particularidades de este nuevo hábitat. De esto se desprende la importancia que adquiere cuidar el alma del niño en cuanto a sus percepciones sensoriales y al sano desarrollo de sus sentidos. Sus órganos sensoriales actúan como verdaderas antenas frente al mundo circundante (tacto, vista, oído, olfato, gusto, equilibrio). Todo su cuerpo y su ser se abren al mundo externo. Moverse para él, no es desplazarse de un lugar a otro sino una mágica sensación de 'flotar' en la gravedad de la Tierra (tan distinta a la ingravidez del espíritu). Balancearse y practicar juegos rítmicos significan una novedosa experiencia de vivir en plenitud el desarrollo de su sistema rítmico (corazón-pulmón).

Si analizamos el meduloso esfuerzo que debe realizar cualquier ser humano al transformarse de 'conciencia prenatal' en 'recién nacido' podemos deducir cuánto es lo que podremos mejorar, como integrantes de la humanidad, tanto el advenimiento del nacimiento físico como su preparación para el primer septenio.

Aunque no demasiado difundido en el seno de la medicina académica, ya han aparecido los notorios beneficios que vienen aportando las técnicas de parto no invasivas o agresivas como el parto en penumbra y los partos en agua o domiciliarios que brindan una verdadera protección al ser que nace.

Entre estos beneficios se destacan el hecho de ser más tarde líderes naturales en el colegio, no conocer el miedo y la posibilidad de expresar lo que sienten.

Ahora cabe hacernos dos preguntas clave:

¿Si estos elementales cuidados enmarcados en el respeto y la dignidad permiten un marcado desarrollo de la condición humana, qué niveles podría alcanzar nuestra humanidad si todos colaboráramos en cuidar la llegada del 'nuevo ser' y su desarrollo inmediato?

¿Y si además observáramos que una nueva generación de seres está llegando al planeta (con una evolución superior a la nuestra, lo cual es la regla, preparados para afrontar las inmensas dificultades que ya nos está generando este caos globalizado), ¿cómo actuar?

Responderé a estas preguntas, pero antes debo dar algunas características de mi experiencia en relación con estos niños que yo me inclino a denominar niños estelares como lo hacen también otros colegas de la Antroposofía, más que niños 'Índigo'.

En ellos es factible percibir algo llamativo en su mirada, ya detectada por sus padres, que hemos denominado mirada esencial o consciente, para diferenciarla del movimiento mecánico de los ojos de un niño durante el primer mes de vida. Hablan precozmente en primera persona, como un indicio de pronta conciencia del yo, fenómeno que ocurre habitualmente cerca de los tres años (cuando el niño deja de hablar en tercera persona).

Mi observación coincide con la de otros autores antroposóficos en el sentido de que estos niños denotan otro estado de conciencia, que exigen explicaciones claras de la ley a la cual deben someterse, que no aceptan fingir y reconocen rápidamente la falta de autenticidad o la mentira.

Es muy importante ayudarlos a encaminar su creatividad pues de lo contrario puede transformarse en agresividad descontrolada. Por tal motivo muchas veces son confundidos con cuadros de "Déficit de Atención" o "Déficit de Atención con Hiperkinesia".

Si analizamos más a fondo la situación cuando son mayores veremos que despliegan un sentido de compasión y comprensión por el compañero que no es común en los otros niños.

También coincido en que sus acciones son guiadas por el amor, pero es un amor diferente de lo que conocemos habitualmente bajo este concepto. A veces preguntan inocentemente: "¿Cómo yo le voy a devolver una patada a quien me pegó, si la agresión física es típica de la densidad del planeta y no de él?". Es un amor racional, lógico, coherente.

Hay en estos niños un marcado interés por los fenómenos paranormales (experiencias PSI o telekinesia) y lo concerniente a la metafísica o todo aquello relacionado con el mundo espiritual, pudiéndose observar, también, que se reconocen entre sí como especiales, distintos.

Hoy no debe sorprendernos que un bloqueo sistemático de la creatividad se pueda transformar en rebeldía, trastornos de conducta, adicciones y criminalidad, según estudios psicológicos recientes.

Puede ser muy fuerte para los 'niños estelares' darse cuenta de que se han desviado de su verdadera misión y extraviado el sentido de su existencia. Flavio Cabobianco, con quien, como dije antes, tuve un trato estrecho, decía, a los ocho años de edad: "Un niño nuevo sabe que es parte de la Totalidad. Si se le quiere enseñar la idea de mío se confunde, cree que todo es de él. Hay que dejarlo compartir. Hay un solo Yo para la Totalidad, aunque el Yo individual es de una variedad infinita."

Es clave un *embarazo respetuoso*, ya desde su concepción, tanto como un extremado cuidado en el proceso de *parto y nacimiento físico*.

Sugiero precauciones especiales en lo sensitivo- afectivo durante el primer mes de vida (contacto corporal, caricias), música clásica suave (rítmica de Beethoven o Mozart), en lo posible no salir de la casa (salvo causas de fuerza mayor) para crear un microclima de paz y armonía en el nido. Finalmente, he aquí algunas claves para que los padres faciliten, en el primer septenio de vida de sus hijos, que el niño acceda a una armonía físico-anímica y espiritual.

• El Ideal básico es la Bondad y la virtud básica, la Gratitud.

• Prestar atención a la incipiente Conciencia del Yo y al desarrollo de su Percepción del mundo.

• Establecer modos de relación sanos con el niño (hábitos, confianza y seguridad).

• Observar atentamente los movimientos y actitudes de los adultos que rodean al niño ya que él será un *imitador* implacable de la escena y los personajes que se presenten delante suyo.

• Las características esenciales del septenio se podrían presentar como: Abrigo, Calor, Protección y Cuidado y las "toxinas" de este período como sus falencias: Frialdad, Abandono e Indiferencia.

• En este primer septenio de vida el Yo humano está abocado casi totalmente a la "construcción" de este nuevo cuerpo físico (especialmente sus órganos esenciales); por lo tanto toda transgresión en lo afectivo y lo perceptivo traerá aparejada una deficiente constitución orgánica y una debilidad futura de su sistema inmunológico.

Todo lo desarrollado hasta aquí facilitará enormemente el advenimiento de una nueva generación de seres (habilitados probablemente para encaminar el futuro planeta), entre los cuales se encuentran sin lugar a dudas los "niños estelares" ya sea con modificación del ADN o sin ella.

Creo que nuestro deber es cuidar meticulosamente el nacimiento físico de estos niños para que los dones que traen no sólo no los ahoguen o los pierdan sino que los potencien en su beneficio y en el de toda la humanidad.

Si cuidamos su desarrollo con el mismo ahínco que su nacimiento, teniendo en cuenta todas las pautas sugeridas por la experiencia de la ciencia espiritual, además de la tolerancia, la disposición, el respeto, la atención por lo inexplicable que sugieren las escuelas psicológicas modernas, estaremos impulsando una nueva generación con capacidades superiores a lo conocido y con una marcada tendencia a la obtención del bien común.

La conclusión es que los llamados "niños estelares" constituyen una anticipación y un recordatorio de lo que está ocurriendo en el mundo celeste.

No permitamos que los prejuicios científico-culturales (paradigmas) paralicen nuestro corazón y nuestra percepción. Atrevámonos a pensar sin limitaciones.

La conciencia de Sí que hoy anima nuestro cuerpo físico y asume esta responsabilidad hacia aquellos seres, será la misma que en un futuro, tal vez lejano, deba preparar un adecuado genoma humano (con o sin ADN modificado) para ingresar nuevamente en la corriente de vida de la humanidad.

¡Y en ese entonces seremos protegidos por aquellos mismos seres que hoy cuidamos...!"

La historia cambia de color

El Hombre no es de ninguna manera un ser firme y duradero, sino más bien una transición; el puente estrecho entre la naturaleza y el espíritu.

—Hermann Hesse

Pensar que los poderes de los niños Índigo podrían permanecer en estado latente sin manifestarse, nos lleva a otra pregunta ya esbozada en estas páginas: ¿qué pasaría si empezáramos a relacionarnos con todos los niños como si fuesen Índigo?

Esta cuestión alberga la sospecha de que si experimentáramos trasladar toda la pedagogía propuesta para el caso de los niños Índigo a un niño cualquiera, seguramente al cabo de cierto tiempo nos llevaríamos una sorpresa.

La relación entre niños y adultos es bilateral, contiene un *feedback* que incide en ambas partes por igual. Nunca ese lazo es inocuo ni fortuita nuestra acción para con un niño, como no lo es tampoco respecto de un adulto. Sin embargo, el vínculo niño-adulto, y fundamentalmente cuando se trata de padres e hijos, reviste perfiles complejos.

Todo aquello que se proyecta, ordena, o espera respecto de un niño tiene, recíprocamente, efectos directos sobre el adulto. Efectos que a su vez se retroalimentan en el niño y el posterior desarrollo o disminución de sus capacidades. Efectos que construyen "el sentido común", y que la presencia de los niños Índigo podría llegar a deconstruir.

La "Era Índigo" merece un enfoque sociohistórico; valdría la pena indagar qué constituían los niños y cómo eran tratados en la antigüedad para advertir cómo puede llegar a modificarse la mirada social sobre determinado sector de la... ¿humanidad?

Las ideas sobre etnias, sexos y edades no fueron siempre las mismas, ni en Oriente ni en Occidente. Los colonizadores españoles tardaron en comprender la "humanidad" de los indígenas americanos, los colonos del norte de América tardaron en aceptar la "humanidad" de las personas de color negro y los afganos aún no terminan de convencerse de la "humanidad" de las mujeres.

Los niños de la antigüedad sí eran aceptados como humanos desde su nacimiento, pero no como individuos plenos. En el siglo IV o V un niño era un "proyecto" de adulto que permanecería en ese limbo hasta el momento correspondiente. Esto implicaba la ausencia del "imaginario" niño con sus respectivos productos, ropa, alimentos, etcétera. El niño no existía a los fines de lo público; no era censado, no existían las escuelas, jardines de infancia, juegos infantiles, distracciones o espectáculos específicamente infantiles ni nada que los particularizara como sector. En todo caso, las cuestiones de niños, incluidos sus juegos, se resolvían entre ellos.

Esta franja poblacional tan poco considerada en las "edades" de la especie ganó un espacio notable en la civilización. Sin embargo, tal como viene a demostrarnos el fenómeno Índigo, los niños apenas comienzan a asomar en el horizonte de la historia humana. Y su revolución, aunque pacífica, se preanuncia con un alcance inconmensurable. Basta confrontar lo que es y lo que ha sido.

En el género ensayístico existen testimonios que se ocuparon de algo parecido a una "historiografía" de la infancia, aunque muy parcialmente. Recurro, por ejemplo, a un pasaje de *Historia de la vida privada*, de Phillipe Ariès y Georges Duby, donde se revisa el concepto de "niño" que se tenía en el medioevo:

> "Los relatos medievales se hallan obsesionados por los problemas de la ascendencia, por la función del hijo y por la importancia casi demencial de las relaciones padres-hijos. Los lazos con el padre, como ya puede adivinarse, constituyen el objeto de una febril preocupación en los relatos en que la esposa calumniada se ve acusada de haber traído al mundo un monstruo que evidentemente no puede ser hijo legítimo del marido."

En el marco de esa misma preocupación, exacerbada y fundamentada en cuestiones ajenas al hijo en sí, el mismo texto concluye:

> "La interrogación por los vínculos de la sangre pone de manifiesto implícitamente hasta qué punto, en las conciencias medievales, era frágil la certeza de las filiaciones."

Resulta difícil señalar dónde y cómo emergen los primeros niños portadores de una transformación en la historia de la humanidad. Ellos no llevan gran protagonismo en los registros, salvo escasas excepciones.

En la actualidad, los niños en general y los niños Índigo en particular, parecen entrar en escena como referentes de un cambio, de una reformulación que afecta a la especie humana en su conjunto.

Miradas que nos constituyen

Distintas disciplinas coinciden en la idea de que los seres humanos nos constituimos individualmente a partir de la conjunción entre la mirada de los demás y nuestra propia mirada dirigida al mundo exterior. Hay quienes sostienen el argumento según el cual cada individuo "elige" ser de una manera al definirse por sus acciones, dando pie a una discusión más compleja (donde entra, por ejemplo, el libre albedrío).

En 1967 el **doctor D.W. Winnicott** —psicoanalista británico— publica un estudio oportuno para comprender la dinámica afectiva y psíquica en el desarrollo infantil. Si bien este reconocido especialista nada sabía por entonces del fenómeno Índigo, hay entre sus aportes ciertas ideas que vale la pena confrontar con la temática de los niños especiales.

En *The Predicament of the Family*, el terapeuta e investigador se ocupa de los lazos existentes entre madre e hijo. Aborda allí la construcción de una individualidad por parte del niño, advirtiendo que: "quienes cuidan a niños de cualquier edad deben estar preparados para ponerlos en contacto con elementos adecuados a la herencia cultural, según la capacidad, edad emocional y fase de desarrollo".

Es útil pensar, sugiere, en *una tercera zona de la vida humana*, que no está dentro del individuo, ni afuera, ni en el mundo de la realidad compartida.

Winnicott propone pensar esa zona como un *vivir intermedio* que ocuparía un *espacio potencial* en el cual no hay distinción entre la vida del bebé y su madre. Ese espacio estaría vigente durante un período prolongado en la etapa crítica de la separación del *no-yo* y el *yo*, cuando el establecimiento de la persona autónoma se encuentra en la fase inicial:

> "En las primeras etapas del desarrollo emocional del niño, desempeña un papel vital el ambiente, que en verdad aún no ha sido separado por éste. Poco a poco se produce la separación del no yo y el yo, y el ritmo varía según el niño. Los principales cambios se producen en la separación de la madre como un rasgo ambiental percibido de manera objetiva. Si no hay una persona que sea la madre, la tarea de desarrollo del niño resulta infinitamente complicada.

¿Qué ve el bebé cuando mira el rostro de la madre? Yo sugiero que por lo general se ve a sí mismo. Puedo expresar lo que quiero decir yendo directamente al caso del bebé cuya madre refleja su propio estado de ánimo, o incluso la rigidez de sus propias defensas. En ese caso, ¿qué ve el bebé?

Muchos bebés tienen una larga experiencia de no recibir de vuelta lo que dan. Miran y no se ven a sí mismos. Surgen consecuencias. Primero empieza a atrofiarse su capacidad creadora, y de una u otra manera buscan en derredor otras formas de conseguir que el ambiente les devuelva algo de sí. Es posible que lo logren por otros métodos (los niños ciegos necesitan reflejarse a sí mismos por medio de otros sentidos que excluyen el de la vista)."

La constitución del yo —es decir, la autoafirmación de la existencia de un *individuo* como tal— según coinciden muchos de los autores revisados (Winnicott, Pearce, Crottogini, Köler, Kühlewind) es un proceso de la primera infancia en el cual madre e hijo participan por igual.

Las miradas de reconocimiento son, en este sentido, fundamentales. Sin embargo, los niños Índigo parecen presentar una diferencia, o acaso una ventaja en su constitución individual, en la medida en que ésta se produce sin corte con el "cordón umbilical" que los une al mundo; el testimonio de Alba Cabobianco y otros casos, hacen pensar que ellos mismos recalcan con su presencia y su percepción global ese *vivir intermedio* del que habla Winnicott, extendiéndolo a la totalidad de sus vidas, reconociéndose ya no sólo en el rostro de su madre sino en el rostro de la humanidad.

El universo es su ambiente. Y todo lo que ven en él los constituye; por eso, la constitución del Yo no es traumática como podría serlo desde el punto de vista estrictamente psicoanalítico. En cambio, sí son extremadamente sensibles a todo lo que sucede en el entorno, porque se sienten realmente parte de él. Ellos traen, desde su nacimiento, la conciencia de un Yo *constituible*, pero no *compartimentable* respecto del universo.

Por eso no son capaces de daño, como subrayan casi todas las semblanzas. Y por lo mismo, tienen una percepción ampliada. Es como si sus sentidos registraran todo lo que sucede en su entorno a nivel celular, espiritual, afectivo, vibracional.

Esa misma percepción de los niños Índigo presenta casos y ejemplos frecuentes a nivel familiar. La madre de Maxi, uno de los niños cuyos testimonios ya fueron incluidos en esta investigación, me cuenta la siguiente anécdota, de cuando su hijo tenía apenas cuatro años de edad:

"Yo llevaba un atraso de cinco semanas que me preocupaba bastante. Esto no lo sabía nadie. Ni siquiera mi marido, que estaba de viaje y no quise comentárselo por teléfono. Uno de esos días, Maxi, después de despedirnos, cuando me iba a trabajar, me llamó desde la puerta, pidiéndome que volviera, para despedirse por segunda vez, de 'alguien más'. Cuando volví hacia él, se abrazó a mi panza, en realidad a mi cintura, y le dio un beso. Le pregunté por qué me besaba la panza: 'Porque tienes un bebé ahí dentro', me contestó. El 15 de ese mes tuve el resultado del análisis: estaba embarazada."

Tres meses después, esta madre perdió aquel hijo en gestación. Lo curioso del episodio es que puede arrojar dos lecturas: unos dirían que el niño percibe esa vida ya concebida. Otros, opinarán que lo que ha percibido ese niño es el pensamiento de su madre.

Ambas posibilidades denotan lo mismo: el niño percibe lo esencial del contexto que lo rodea y se unifica con ello. Es decir, sus sentidos "no físicos" atienden a aquello que está irradiando una energía. Si "aquello" es la preocupación de su madre o es una realidad objetiva, no parece lo importante a su percepción. Aun sin haber embarazo, el niño igual habría besado aquel vientre. Porque allí estaba puesta la atención (y la preocupación) de su madre. Allí estaba "la idea" de una gestación que Maxi, un niño Índigo agudamente conectado con el plano "no físico" advertía, reconocía, confirmaba mediante un beso.

La esencia a la cual llega el niño es ese conocimiento que complementa y supera todo proceso intelectual, técnico o científico. Ese mundo de esencias que él percibe continuamente lo guía sin rodeos hacia una realidad que puede, incluso, ser una idea. Pero en todos los casos, se trata de algo que él registra como parte de un todo integrado donde las ideas, por ejemplo, también podrían ser identidades, como el hermanito potencial a quien Maxi quiso saludar.

Winnicott explica hasta qué punto un niño se constituye individualmente por su propia percepción, pero también por lo que perciben en él y por lo que le comunican, implícita o explícitamente, no sólo su madre, sino sus semejantes, su entorno. En el caso del niño Índigo, la aceptación y desarrollo de sus atributos tiene una incidencia clave en ese proceso en que el "Yo" adquiere expresión propia y consciente.

Si la madre de Maxi no hubiese tomado nota (en el doble sentido de la expresión) recordando, advirtiendo esos gestos, habría perdido aspectos *especiales en el desarrollo* de su hijo. Aspectos necesarios para él, y para sus padres.

Ese territorio donde transcurren las ideas, preocupaciones, energías y frecuencias compartidas intrafamiliarmente, es también el territorio donde se inscribe la evolución que afecta a hijos y padres por igual.

Las vibraciones fluctuantes en dicha evolución tienen un peso específico y un valor absoluto que sus protagonistas no siempre están preparados para ver.

Quizás allí encontremos una conciencia compartida que estimula el desarrollo de aptitudes en forma simbiótica. Entre padres, hijos y educadores, como propone también, Henning Köler cuando habla de una *revolución de raíces de pasto*, capaz de cambiarle el rumbo a la civilización.

CAPÍTULO 7

Testimonios: Damián e Ismael

Índigo o superdotado

Allí donde se explica someramente el fenómeno Índigo a quien lo desconoce, la primera asociación que surge es en relación con los niños superdotados. El tema merece algunas salvedades.

La diferencia entre ambos grupos no está en los niños, sino en el enfoque que le demos a la cuestión. En cierto modo, remitiéndonos al capítulo anterior, la diferencia está en nuestra mirada, y es nuestra mirada la que habrá de definir aquello de lo que hablamos.

Llevado a una metáfora: si hablamos del maíz refiriéndonos a su cotización en el mercado, a los países que lo cosechan, a los fertilizantes que optimizan su rendimiento, no explicaremos nada acerca de su sabor, de su perfume, del lugar místico que tuvo en la antigüedad, de sus propiedades nutritivas, etcétera.

El superdotado es una categoría a partir de la cual se estudia a niños con determinadas capacidades operativas y funcionales que se insertan con éxito en el sistema educativo. Ese enfoque, por empezar, no admite la potencialidad, en tanto que una de las primeras cosas que encontramos cuando estudiamos el fenómeno Índigo es que mayoritariamente los niños de hoy guardan saberes que podrían no manifestarse si no encuentran un espacio para hacerlo.

El niño Índigo conjuga con sus virtudes "técnicas" otras menos "funcionales", a la vez que suele convivir con una dificultad básica en el campo de la interacción escolar, por ejemplo. El superdotado, en cambio, se destaca como tal en tanto y en cuanto su adaptación al sistema fluye por carriles aceitados, demostrando siempre que es "eficiente" en determinada materia o en muchas.

Una revista universitaria de actualidad psicológica titulada *La Facu* realizada en Chile y publicada en Internet dedicó todo un número al respecto, donde se expone lo siguiente:

A pesar del gran interés que nuestra sociedad afirma tener en el talento y la creatividad, sabemos muy poco sobre los niños excepcionales o superdotados.

Los niños superdotados son de alguna forma, diferentes de otros niños "normales". Vale la pena por tanto investigar sobre estas diferencias.

Siempre se ha creído que por poseer dicha sobredotación ellos no nos necesitan, y hemos centrado toda nuestra atención en niños deficientes. Pero... ¿qué conocemos sobre la dotación? ¿Sabemos educar a un superdotado? ¿La superdotación se da solamente en el aspecto cognitivo o también hay individuos superdotados en el aspecto social o destrezas motrices? ¿Se da en todas las edades? ¿Cómo se sienten esos niños?...

Es necesario que en nuestra sociedad, una sociedad en cambios, con una economía de servicios, que posee nuevas tecnologías, ayude a estos niños y no malgaste todo ese potencial humano.

Superdotado es un concepto que suscita diversas controversias.

En los Estados Unidos se da el título de "supergifted" a los que brillan en todas las materias y cuyo nivel intelectual se acerca o llega al límite superior de los tests de C.I. La principal distinción es entre "gifted" (superan un coeficiente intelectual de 130) y "talented" (sobresalen en un campo particular).

Entre los padres de niños Índigo entrevistados para esta investigación, sólo cuatro de ellos conocían el coeficiente intelectual de sus hijos. En dichos casos, los niños superaban el 130 mencionado más arriba. Sin embargo, ésta no es la condición determinante para quienes estudian el fenómeno Índigo, que ha manifestado valores mucho más abarcadores, difícilmente circunscriptos a una evaluación aislada, específica, sobre un concepto muy limitado de "la inteligencia".

Lo "Índigo" en un niño, no se define terminantemente mediante tests o calificaciones escolares. Muchas de sus virtudes, como he venido exponiendo, tienen que ver con un tipo de sensibilidad a la cual no acceden los instrumentos de la medición binaria.

Los niños superdotados presentan una efectiva precocidad para ascender niveles *dentro del sistema pedagógico tradicional*; su relación con el acceso al conocimiento muestra diferencias cuantitativas (velocidad de absorción, capacidad de retención y procesamiento de datos, destreza intelectual).

Los niños Índigo, en cambio, despliegan caminos impredecibles, con métodos propios que los llevan, en algunos casos, a la resolución de los mismos problemas abordados por los "supergifted" pero a espaldas del método usual.

Retomando el artículo universitario en torno de los niños superdotados, surgen otros datos que demuestran cuán relativos tienden a ser hoy ciertos valores —otrora absolutos— reflejados en palabras como "inteligencia", "precocidad", etcétera:

- En Francia muchos se oponen al término "superdotado" y proponen en su lugar el de "niño precoz".

- En Israel, la denominación de estos niños engloba todas las aptitudes y todos los niveles. Allí, la "precocidad" no está determinada únicamente por el C.I. Se observa en niños con un nivel académico general muy alto que, además, durante los primeros años de su vida son muy activos y demuestran un gran interés por todo lo que les rodea.

• En los Estados Unidos se ha establecido que, por encima de un cierto umbral de precocidad, cuanto más adelantado en el plano intelectual es un niño, más difícil resulta su adaptación social y psicológica.

Evidentemente, toda diferencia, hasta la del superdotado, con su correspondiente aceptación y exaltación social, puede convertirse en un problema. El informe sobre estos niños —que es muy extenso y del cual sólo extractamos unos pocos párrafos— dedica gran cantidad de páginas a las posibles dificultades que habrá de vivir un "niño genial".

Estos niños suelen tener metas y objetivos que sienten que "deben" cumplir para vivir en paz, sin defraudar a los suyos. Con mucha frecuencia — y desafortunadamente— son los padres quienes patrocinan tal exigencia, quizás como proyección de una propia necesidad insatisfecha. En los Estados Unidos, hay antecedentes de padres cuya vehemencia por "exhibir" hijos superdotados desencadenó situaciones dramáticas.

El niño Índigo no muestra compatibilidad con la escala de valores típica y formal ni procura la aceptación. Por el contrario, su virtud y su dificultad suelen venir de la mano de su autosuficiencia. Trabaja mucho con su mundo interno. El niño superdotado es forzado a trabajar con el exterior, con todos los riesgos que esto implica.

El superdotado es aquel que brilla o puede brillar en todas las disciplinas —continúa el informe— aunque también puede serlo el que manifiesta mucho talento en una materia específica ya que a partir de allí, si se lo estimula, revelará un alto nivel de inteligencia general.

Una definición relativamente consensuada respecto de los aspectos que definen a un niño superdotado incluye seis criterios principales:

1. Excelencia académica general

2. Aptitudes específicas

3. Pensamiento productor

4. Liderazgo

5. Talento en las artes visuales y físicas

6. Habilidad psicomotriz

Otras concepciones del calificativo "superdotado" varían dependiendo del país, recalcando distintas capacidades.

Sin embargo, los superdotados no sólo gozan de una superioridad en el plano intelectual sino también en muchos otros aspectos de la personalidad y del comportamiento social. Si superan el trance y alcanzan a ser socialmente maduros, mantienen excelentes relaciones con sus compañeros; son muy independientes, lo que les permite una adaptación notable.

En general, los superdotados tienen una comprensión excelente y un gran interés por todo lo que se les transmite. Resulta notable su permanente deseo de estar en alguna actividad, lo cual se complementa con una importante tendencia a dormir menos de lo normal.

Una vez adquirido el lenguaje, lo manejan a un nivel más que satisfactorio para su edad. Además, a estos niños les gusta examinar, manipular... dando pruebas de una notable concentración en sus actividades; lo que parece esencial para la memorización y una elevada actuación intelectual.

Comprenden rápidamente lo que se les explica e imitan con facilidad los comportamientos de los adultos. Desde la primera infancia, les gusta mucho más que a los otros niños mirar las ilustraciones, hacerse leer y contar cuentos, y mirar la televisión.

En el colegio, los superdotados aprenden antes, mejor, más deprisa y a menudo de una forma cualitativamente diferente que la mayoría de los otros niños,

agrega el informe en sus párrafos finales.

Afloran, en estas últimas observaciones, coincidencias y diferencias evidentes de planteo y recepción por parte del mundo adulto para con los niños y sus particularidades.

El superdotado, para serlo, requiere una demanda y una exigencia constante.

Por su parte, el niño Índigo —según indican los estudiosos del fenómeno— requiere, en el marco de sus particularidades, aceptación y flexibilidad para acceder a un desarrollo pleno y feliz.

Juguetes con mensaje

Caleidoscopio: m. Aparato formado por un tubo opaco en cuyo interior hay dos o más espejos colocados en ángulo agudo que multiplican simétricamente la imagen de los objetos colocados entre ellos.

—Definición de un diccionario escolar

Damián tiene diez años. Es hijo adoptivo y lo sabe prácticamente desde que tiene memoria, sin que esto le haya generado ningún trauma aparente. Cuando le pido una opinión respecto de su circunstancia en comparación con la de otros chicos (si le trajo problemas, si se sintió diferente, etcétera) me contesta:

"Para nada, hay muchas maneras de ser una familia. Yo conozco en la escuela un montón de chicos que tienen a los padres separados y les parece normal. Algunos chicos tienen nada más que una mamá, o unos abuelos. Otros tuvieron papás después de nacer, como yo y un chico que conozco, pero que no quiere que lo digan.

A mí no me molesta hablar, pero tampoco digo que la única forma normal es ésta. Había familias en África que primero nacían los chicos y después se los daban a los que podían ser mejores padres. Hay chicos que nacen sin que sus padres quieran. Yo tuve la suerte de que los míos hicieron de todo para tenerme... seguramente tenían muchas ganas."

Con el tiempo, han ido reconociendo en él todas las características Índigo sin saber de la existencia del fenómeno. La mirada, la inteligencia, los episodios de percepción extrasensorial (anticipación de hechos, puntualmente) en este caso estaban mezclados con una circunstancia de por sí especial, y por lo tanto resultaba difícil adjudicarle tal o cual explicación.

Graciela y Ricardo entendieron, con el tiempo, que esa caracterología de su hijo iba más allá de las explicaciones habituales que daban los psicopedagogos. Ellos mismos sentían que sus roles, en el vínculo con Damián, llevaban por propia gravitación, al aprendizaje, antes que a la contención:

"Aprendimos mucho de nuestro hijo —me asegura Graciela— en particular, respecto de cosmovisiones que él trajo al centro mismo de la familia, como la relación con el destino, con el devenir. Damián tiene una especie de fe absoluta por lo que va a suceder, sin importar lo que sea. Esto es notable, porque entonces, en su historia —quiero decir, en su historia previa a nosotros, que es breve pero intensa— la adopción irrumpe como un antídoto contra todo desánimo a futuro. Es lógico, si uno piensa que en este sentido lo que para él empezó mal, porque empezó como un abandono, se resolvió con encuentro feliz. Pero esta sería una manera muy racional de ver el tema. Yo creo que hay en él algo innato que le permite ver la sabiduría del destino como parte de un transcurrir donde todo encaja, aunque no parezca tener explicación en lo inmediato. Una de las características más notables que tiene Damián es la ausencia de miedo. Se asusta ante lo repentino, como cualquier chico o cualquier adulto, pero no "incuba" el miedo, no lo desarrolla, no lo fomenta, no lo construye. Y el miedo, lo sabemos, es como una construcción. Su aceptación ante el destino es casi una fe; esto nos lo ha demostrado en infinidad de situaciones de las que, lógicamente, sale bien parado. Por eso, insisto, él es un hijo, pero también es, en cierto modo, un maestro, aunque suene raro."

De las muchas charlas que tuve con Damián seleccioné una que refleja con gran riqueza descriptiva no sólo su personalidad y su universo, sino también su cosmovisión de las cosas.

Hubo una conversación en la que empezamos hablando del juego; un factor lleno de implicancias, en la "sintonía fina" evolutiva de un ser, según los distintos autores que he estado recorriendo durante esta investigación.

Como la mayoría de los padres adoptivos, estos son especialmente cuidadosos en el control de lo que "llega" hasta su hijo, aunque no obsesivos. Por lo mismo, intentan mantener a Damián alejado de actividades alienantes, como los juegos electrónicos o la televisión. Sí le compraron una computadora hace un año, considerando que le sería útil para el colegio. Sin embargo, a diferencia de otros niños Índigo, a este "chico del nuevo milenio" la tecnología no le interesa gran cosa. Está fascinado, en cambio, con un juguete manual cuyo misterio no pasa de moda: el caleidoscopio.

Dado que ya ha abierto y "arreglado" varios, conoce su funcionamiento a la perfección e insiste en explicármelo:

Si lo das vuelta, cambia, siempre. Nunca sabes cómo se va a acomodar el nuevo dibujo, pero nunca es feo. Las figuras se organizan todas parejitas, son todas iguales entre ellas, pero el dibujo no lo puedes volver a repetir. Jamás. Tienes que despedirte de cada dibujo, por más que te guste.

—Vendría a ser igual a las cosas que pasan en la vida real. No puedes repetir las situaciones, por más que te gusten...

—Claro... es como la vida de cada uno. Se pueden sacar fotos, filmarla en video, pero lo que pasó, pasó. Siempre es distinta, por más que la muevas y busques repetir, o armar de una manera, haciendo miles de cuentas, calculando todo, no hay forma, es siempre distinta...

—Me dijeron que te gusta desarmar los caleidoscopios: ¿cómo son por dentro?

—En realidad, adentro no tienen mucha sorpresa; yo esperaba más. Los sigo abriendo para ver cómo están puestos los espejos, porque no todos funcionan igual. Además me sigue pareciendo raro: son unas piedritas y unos espejos muy chiquitos, nada que ver con lo que ves. Pero hay que enfocarlo para arriba, contra la luz, si no, es un pozo gris. Es como todo: si no hay luz, no ves. Por eso siempre buscamos lugares con luz para ver."

Las relaciones que van de un objeto al destino son frecuentes, las escucho en cada entrevista; la metáfora actúa en ellos con una increíble funcionalidad para entender el mundo. Más que un recurso, es su lenguaje habitual, más allá de toda voluntad estética, ellos lo aplican para acercarse a la verdad, como un artista, o un místico adulto.

Lo tuyo, lo mío, lo nuestro...

Soy un ser ilimitado que acepta de forma ilimitada los bienes
provenientes de una fuente ilimitada.

—Louise Hay

Ismael tiene nueve años y es hijo de una empleada doméstica que trabaja por horas en distintas casas. A diferencia de otros niños Índigo, él no creció con una computadora en su hogar. Tomó contacto con una PC acompañando a su madre al trabajo, cuando limpiaba el departamento de un joven que estaba siempre ausente. Isabel me cuenta que su hijo aprendió el funcionamiento casi a escondidas, mientras ella limpiaba el living y lo dejaba mirando televisión en la habitación contigua.

"Nadie le explicó nada: un día me llama desde el cuarto y me muestra: 'Mamá, estoy dibujando en la pantalla'. Al principio casi lo mato, lo hice apagar todo. Pero después él mismo le contó al dueño de casa, que se quedó sorprendido y le pidió a Ismael que le explicara cómo había hecho. Porque el muchacho, que es periodista, apenas manejaba cosas que mi hijo había aprendido solo en unos pocos días."

Durante nuestra entrevista, Ismael no pudo decirme exactamente cómo había aprendido a usar un programa de dibujo. Le pedí que lo hiciera delante de mí y noté que se guiaba con intuición natural sobre los símbolos. Entendí, por su relato, que había necesitado algún tiempo para advertir la lógica del cursor.

Es decir que apretando un botón o soltándolo, conseguía moverlo, cambiarlo de lugar y dejar huella con él, si quería trazar una línea. Superado ese obstáculo nada le había costado. Hacía dibujos guiándose por los íconos: apretaba el símbolo que representa un borrador y borraba, usaba un pincel, elegía colores, texturas, y llenaba el cuadro rápidamente. No dudaba ni parecía importarle mucho el detalle del dibujo, sino las condiciones de su realización; la posibilidad de materializar algo partiendo de la pantalla vacía. Era esa fascinación por el proceso lo que lo mantenía como hipnotizado frente al monitor hasta que finalmente cliqueaba "print" (en sus palabras *el dibujito igual al aparato de donde sale el papel*) y me daba la hoja con la certeza de haber hecho las cosas bien.

Todo esto lo aprendió Ismael, aproximadamente en cuatro jornadas de dos horas cada una, sin que su madre lo supiera, mientras ella trabajaba.

La historia de Ismael me sorprendió en particular respecto de un tema casi tabú, frecuentemente eludido al hablar de niños; las diferencias socioeconómicas y su incidencia en el factor evolutivo.

Recién al toparme con este caso comprobé que existen ciertas posibilidades que no están netamente condicionadas al contexto sociocultural del niño. Tras haber vivido esta experiencia, su madre, afortunadamente para ambos, incentivó a Ismael con mayor expectativa hacia lo tecnológico. Pero la revelación inicial de su hijo fue espontánea.

Por supuesto que este episodio debe ser tomado con pinzas; ignorar la desigualdad que provoca el acceso a la tecnología dado por condicionamientos económicos sería necio. Lo rescatable aquí es que sí existe una tendencia de ciertos niños a manejarse con una capacidad de incorporación de reglas y códigos muy superior a la de épocas anteriores. Es como si absorbieran determinados lenguajes que, por otro lado, tienden a ser lenguajes universalizados por la comunicación urbana, aun para los sectores de menores posibilidades de acceso al consumo.

Barbra Dillenger, coautora del libro *Índigo Children*, asegura haber realizado una comparación estadística al respecto, tras la cual comprobó que los puntajes de CI (cociente intelectual) han mostrado una alza sorprendente en los últimos 50 años y las diferencias entre puntajes de estudiantes blancos y estudiantes de las minorías raciales en los Estados Unidos se están achicando.

Deduzco a partir de este testimonio que los niños Índigo son funcionales a sí mismos y a la humanidad, pero no siempre al sistema, en la medida en que este choque con necesidades evolutivas. En tal aspecto, ellos son selectivos, toman y relacionan aquello que les despierta una curiosidad específica en cada caso. Pero ante todo, son fieles a su esencia, más allá de los caminos que les indiquen, y por eso también, suelen hacerse ver, si no se los censura previamente.

CAPÍTULO 8

La revolución silenciosa

Nuevos modos de aprendizaje

A poco de nacer Carla, sus padres reconocieron en ella algo notable y diferente respecto de las tres hijas anteriores que habían criado. Distintas experiencias —algunas traumáticas y otras felices— los fueron poniendo en contacto con el fenómeno Índigo hasta concluir que la recién llegada formaba parte de él. Buscaron, a partir de entonces, un ámbito escolar que la contuviera, sin aislarla o presionarla. Tras una búsqueda minuciosa y debatida entre ambos, optaron por una pequeña escuela en su propio barrio. Los convenció una serie de charlas previas que tuvieron con su directora, Susana, cuya propia experiencia de vida había influido positivamente para desarrollar y perfeccionar ciertos ideales docentes, con una atenta apertura a cada nueva revelación en materia de descubrimientos educativos y pedagógicos.

Carla estuvo cómoda desde su primer día de clase. Se la veía feliz, sociable, hacía amigos entre sus compañeros y maestras. Al promediar el primer grado se le encargó que preparara, con total libertad de método y criterio, un trabajo de investigación acerca de las plantas. Recordando una vieja enciclopedia que había en su casa, de la cual sus padres hablaban maravillas, decidió recurrir a uno de aquellos pesados tomos. Impresionada por las palabras "difíciles" que encontró en esas páginas, Carla preparó una presentación con gran pompa. Copió láminas, gráficos repletos de detalles, y memorizó largos textos con mucho esfuerzo y aburrimiento, pero la impulsaba la idea de que eso era lo que se esperaba de ella. La tarea le llevó varias jornadas cuyo sacrificio suponía necesario. Llegado el día de la presentación, llena de expectativas, colgó las láminas en el frente de la clase y parada ante sus compañeros desarrolló un largo discurso repetido textualmente de la enciclopedia. A medida que avanzaba su exposición notaba el desconcierto de los demás chicos, al tiempo que su propio desconocimiento esencial sobre lo que estaba diciendo. Al terminar, percibió que todo había sido un gran fracaso. Cuando llegó el turno de las preguntas comprobó con mayor certeza lo poco que sabía acerca del tema. Angustiada, se fue a sentar a su banco y lloró desconsoladamente. Le costaba entender en qué se había equivocado, aunque empezaba a vislumbrarlo.

La crisis de Carla se reformuló en aprendizaje cuando, poco después, decidió pasar un fin de semana en lo de su abuela. Durante esos días pasó largo rato observando las plantas. Encontraba actitudes humanas en ellas; unas que sofocaban a las otras; flores tan hermosas como frágiles, enredaderas que se pegaban a la pared y su abuela llamaba "amamuros". Tomó algunas notas, hizo dibujos, probó con su dedo índice el sabor del rocío (descubrió que no tenía gusto a nada, como el agua) La sorprendió ver que una hormiga puede cargar hojas mucho más grandes que su cuerpo, y se preguntó a quién se las llevaría. Y miró a los colibríes y abejas, que por alguna razón flotaban un rato sobre distintas flores, como si estuvieran buscando algo. Al llegar el lunes, llevó sus dibujos, anotaciones y recuerdos a la escuela. Contó todo lo que había visto y su relato tuvo aquello que la presentación formal y enciclopédica no había conseguido: se produjeron discusiones sobre el porqué y el cómo de cada detalle en ese jardín. Por ejemplo, sobre si el rocío era agua sola o con algo más, si el picaflor jugaba o trabajaba, si las hormigas eran enormemente fuertes o las plantas muy livianas, si había plantas buenas y plantas malas, si las plantas pensaban o sentían, entre otras incógnitas similares que tienen los chicos a los seis o siete años y por alguna razón los adultos olvidan y las enciclopedias no priorizan.

Esta anécdota —narrada con humor, algún tiempo después de sucedida, por Carla, sus padres y su maestra— revela en qué medida los niños de hoy "traducen" en sus propios triunfos y fracasos la transformación educativa que atraviesa la humanidad respecto del conocimiento profundo; a veces, incluso un chico de espíritu libre, criado en un ámbito de estímulos y libertad, es permeable a la mística mecanicista de un pasado no muy remoto.

Es notable el hecho de que, como motor de cambio, junto con la inercia del retroceso, se revela en cada nuevo niño una búsqueda de sinceramiento, tras lo cual surge la potenciación de esa virtud que implica querer saber en lugar de repetir el discurso establecido. Y entonces, como en la historia de Carla, esa "vocación por lo real", por la interpretación de las cosas, más que por "las cosas de la interpretación" emerge con fuerza.

El propio sistema educativo empieza a aportar, como fruto de un autoexamen que ya opera con resultados concretos en ciertos países, algunas conclusiones para reformular la idea de la enseñanza formal.

La pedagogía, en el marco de la educación, es una ciencia ineludiblemente ligada al *feedback* —a la interacción— con los niños. Su campo teórico y práctico no puede alejarse de ellos. Cada aporte, de Piaget, de Gessell, de Steiner, se constituye en el territorio de una dinámica continua que sigue abriendo puertas entre maestros y alumnos; entre lo que es y lo que será.

Tyna Blythe, docente e investigadora del *Proyecto Cero* en la Escuela de graduados de Educación de la Universidad de Harvard, U.S.A. ha publicado en 1998 un trabajo titulado *La enseñanza para la comprensión*, donde expone cómo ha cambiado el enfoque docente a partir del trabajo con niños cuyas respuestas han replanteado los modos de aprendizaje:

> "Estimular la comprensión es una de las máximas aspiraciones de la educación, y también una de las más difíciles de lograr. Pero el concepto mismo de comprensión plantea complejos interrogantes: ¿qué es comprender algo? ¿De qué manera desarrollan la comprensión los alumnos? ¿Cómo averiguar hasta qué punto comprenden un tema?

¿Cómo podemos apoyar de un modo coherente el desarrollo de la comprensión?"

A partir de esas preguntas, la autora expone el nacimiento de un proyecto y un propósito: desarrollar un enfoque de la enseñanza para la comprensión basado en investigaciones y sometido a prueba en las aulas.

Al cabo de cinco años de trabajo y análisis, descubrieron, entre otras cosas, que:

• La memoria no es importante. Memorizar las tablas de multiplicar, por ejemplo, no significa que los alumnos comprendan lo que son ni cuándo utilizarlas.

• La buena conducta no sirve para estimular la comprensión. No es esto lo que la garantiza; por encima de ella debe estar el interés.

• Antes que "buscar hechos", es construir y demostrar teorías lo que hace a los niños comprender qué es la ciencia.

• Cómo usar lo que sabemos para calcular lo que no sabemos" es lo que diferencia el aprendizaje de la acumulación de conocimientos memorizables.

• En el arte y la literatura, los niños comprenderán cómo las metáforas configuran nuestra manera de experimentar el mundo.

No es casual que si confrontamos estas conclusiones con las características de los niños Índigo y su manera de abordar el conocimiento —metafórica, autodidacta, rebelde frente a los procedimientos lineales— encontremos coincidencias básicas entre el cambio y lo que ellos demandan implícitamente, con su presencia.

Vito Perrone —catedrático titular de educación y director de formación docente en la Escuela de Graduados de Educación de Harvard— fue uno de los colaboradores en la preparación de *Enseñanza para la* *comprensión*, además de haber escrito numerosos trabajos sobre niños, entre los cuales tuvo gran divulgación en los Estados Unidos su *101 Educational Conversations with Your Child*.

Este autor fundamenta el cambio profundo que se ha producido en las ideas educativas remitiéndose a los años '60 en su país. El enfoque de Perrone abarca las tres últimas décadas norteamericanas relacionando lo histórico, lo educacional y lo social:

"Los sesenta demostraron ser años de cambio social masivo en los Estados Unidos. Las desigualdades de la vida norteamericana se volvieron cada vez más evidentes y se entendió que exigían una respuesta pública a gran escala. La incapacidad del sistema educativo de ofrecer asistencia a todos los estadounidenses sobre una base equitativa se convirtió en un importante tema público. El apoyo al pluralismo, durante largo tiempo dejado de lado en los comienzos de la teoría del crisol de razas, creció con el reconocimiento de que era necesario para la creación de una democracia social que funcionara mejor. La despersonalización, generada en gran parte por los crecientes niveles de tecnologización y burocratización en casi todas las fases de la vida, produjo una respuesta radical. La conciencia del rápido agotamiento y desaparición de los recursos naturales estimuló una creciente preocupación por la 'nave espacial terrestre'. Y la guerra de Vietnam, que demostró ser menos popular que cualquier otra empresa militar anterior, llevó la protesta a un nivel muy alto. Esta atmósfera generó una ola de reformas educativas que se hizo eco en los esfuerzos reformistas anteriores.

Algunas de las reformas educativas de los años sesenta fueron caracterizadas por la prensa popular como meramente románticas —vinculadas con el cuestionamiento general, por parte de la sociedad estadounidense, del estilo de vida y el cambio cultural— pero por cierto incluyeron una investigación pedagógica seria en torno del tema de la comprensión. Jerome Bruner representó la influencia intelectual dominante.

Bruner proponía un acercamiento a un aprendizaje reflexivo, que estableciera conexiones sólidas con la vida de los estudiantes y con su necesidad de comprender el contenido, no sólo con su capacidad de repetir las formulaciones de texto."

Entre los diversos proyectos curriculares del período, Perrone menciona el Elementary Science Study (Estudio elemental de la ciencia): un trabajo publicado en 1966 por el *Educational Development Center* (Centro de desarrollo Educativo) del cual él y su grupo tomaron ideas centrales para la elaboración de nuevos conceptos sobre la enseñanza. En su introducción, este proyecto curricular se anticipa al fenómeno que más tarde pondría en escena a toda una generación de nuevos niños, sosteniendo aquello que hoy resulta casi obvio:

"Es evidente que los niños son científicos por disposición: hacen preguntas y usan sus sentidos tanto como sus poderes de razonamiento para explorar su entorno físico; obtienen una gran satisfacción al descubrir qué hace funcionar las cosas; les gusta resolver problemas; se sienten desafiados por nuevos materiales familiares. Esta curiosidad natural de los niños y su libertad respecto de preconceptos acerca de la dificultad es lo que este programa trata de cultivar y orientar hacia canales más profundos. Nuestra intención es enriquecer la comprensión de todos los niños."

Respecto de la estrategia de enseñanza, la misma guía afirma:

"Queremos que los alumnos no se conformen con reconocer la autoridad científica, sino que desarrollen la confianza y las habilidades necesarias para cuestionarla con inteligencia. Por este motivo juzgamos necesario ayudarlos a confrontar el mundo real y sus materiales físicos directamente, más que por medio de intermediarios como los libros de texto... no conviene explicar las cosas prematuramente ni dirigir en exceso la exploración de los niños."

El profesor Perrone subraya que en este período de reforma sin precedentes en los Estados Unidos, se reafirmó la indagación como modelo de discurso: interrogar, mantener un sano escepticismo, desarrollar hipótesis; experimentar, examinar una variedad de datos —ya sea que confirmen o desautoricen las teorías previas— y articular una variedad de explicaciones posibles. Ya en la década de 1960 habían comenzado a preconizar las investigaciones científicas por parte de estudiantes muy jóvenes, y a hablar de la necesidad de "descubrir" más que de "cubrir un tema". Sin embargo, el autor advierte que aquellas iniciativas no prosperaron en los años setenta y ochenta, cuando, por el contrario, varias fuerzas contribuyeron a un resurgimiento de paradigmas menos activos y complejos. Acusa en esos años a lo que él llama un "contragolpe fundamentalista" que desalentó la participación federal en programas innovadores.

El siglo XXI presenta para Perrone un panorama diferente y optimista:

> "Una vez más los críticos escolares están pidiendo que los alumnos vayan más allá de los hechos, para convertirse en personas capaces de resolver problemas y en pensadores creativos que vean posibilidades múltiples en lo que están estudiando y que aprendan cómo actuar a partir de sus conocimientos. Tal vez el ejemplo más visible sea la Coalición de Escuelas Esenciales conducido por Theodore Sizer, que subraya que 'menos es más' respecto de lo que se enseña y aprende."

Los trabajos de estos investigadores, las corrientes educativas del tercer milenio y la interactividad de los nuevos niños con respecto a la educación, no avanza al mismo ritmo en todo el mundo. Molly, una Índigo adulta que ya he citado, me decía:

> "El sistema universitario, aunque digan lo contrario, es a largo plazo el mismo que el de la escuela. Después de haber sido 'oyente' durante más de diez años, uno se da cuenta de que sigue siendo 'oyente' en la universidad o en un nivel superior terciario. Por mi parte esperaba que la universidad me diera lugar para la creación, pero no fue así. De manera que elegí, paralelamente a mi carrera universitaria, escribir mis propios ensayos."

Todo indica que el sistema educativo está en pleno proceso de cambio, pero éste es irregular y seguirá evolucionando paralelamente con las respuestas y manifestaciones que los nuevos niños sumen a los pioneros —padres y docentes— capaces de advertir el giro en este sentido.

El protagonismo de los niños

La misma tendencia que viene incidiendo en la educación tiene su correlato en el arte, en el entretenimiento y en la comunicación a nivel masivo. La proliferación de libros y películas donde los niños pasan a un primer plano en la acción, e incluso con poderes y atributos fantásticos encuentra su mejor ejemplo en Harry Potter. Llama la atención que entre tantos productos destinados al consumo infantil se haya disparado vertiginosamente una secuela de historias en las cuales sus protagonistas son pequeños magos: niños con atributos secretos, dotados para cambiar el mundo, actuando sobre el entorno con capacidades insospechadas, sorprendiendo al *establishment* adulto.

La realidad supera a la ficción, pero la ficción se nutre de ella. Y por primera vez, los niños comparten un producto plenamente legitimado por el universo adulto. En febrero de 2002, el escritor **Fernando Savater** declaraba al periódico *Clarín* de Buenos Aires:

"Desde las primeras páginas de la primera novela, las narraciones J. K. Rowling me han atrapado como a cualquiera de sus jóvenes aficionados que casi podrían ser mis nietos. Ahora chicos y chicas hacen cola en las librerías esperando que llegue la última entrega de su héroe favorito. Mañana, también leerán a Proust o a Vargas Llosa. Aunque nunca olviden —lo espero y lo deseo— a Harry Potter."

Bien podría invertirse el planteo de Savater, y suponer que son los niños quienes desde su propia elección masiva y espontánea —el mercado editorial nunca antes había registrado tamaña audiencia infantil— un nuevo capítulo para que los adultos "leamos" a partir de sus preferencias, el lenguaje de una nueva raza de niños avecinándose en el horizonte.

"Creo que Rowling es una seguidora aventajada del gran Tolkien de *El señor de los anillos*", agrega el autor español en el mismo artículo, dando allí con otra clave. Tolkien es otro de los "grandes éxitos" en la naciente audiencia infantil. Y sus protagonistas, sin ser niños, configuran esa pluralidad de razas, de mundos en disputa, de una lucha por el bien, de una universalidad para ver el campo de la existencia que excede plenamente el de Tom y Jerry o las trilladas sagas de Walt Disney donde los animales —fueran patos, perros o ratones— repetían tan fielmente la conducta de la clase media norteamericana que no se diferenciaban en absoluto de humanos adultos comunes y corrientes.

La fantasía en su cabal dimensión es la que con más fuerza impacta a los chicos de hoy, y no es descabellado pensar que hasta les resulte familiar, necesaria y positivamente evolutiva a la vez. Pero no sólo la fantasía meramente lírica, sino incluso aquella que se conecta con los problemas reales del ambiente.

Es cada día más común encontrarse con revistas, programas radiales, televisivos, organizaciones no gubernamentales, proyectos ambientales y emprendimientos culturales o artísticos conducidos por niños menores de doce años.

Si a partir de los años cincuenta la posguerra trajo adolescentes rebeldes que en los sesenta produjeron su mayo francés, podría decirse que los noventa y el nuevo siglo, traen una generación de niños protagonistas, "usufructuarios" de la fantasía como un instrumento de posible aplicación reivindicativa en la realidad. Niños con atributos concretos para la resolución de problemas nuevos, capaces de organizarse, de reformular con sus respuestas el sistema educativo, de conectarse por Internet a foros propios de discusión, de insertarse en los medios de comunicación, de activar, con su impronta, una humanidad distinta.

Capítulo 9

Un nuevo estado de conciencia

Terapias complementarias y niños Índigo

Los niños deben recordar que el oficio del padre, como emblema de poder creativo, es divino en su misión, pero no implica restricción en el desarrollo ni obligaciones que puedan obstaculizar la vida y el trabajo que les dicta el alma. Es imposible estimar en la actual civilización el sufrimiento callado, la represión de las naturalezas y el desarrollo de caracteres dominantes que produce este hecho. En casi todas las familias, padres e hijos se construyen cárceles por motivos completamente falsos y por una equivocada relación mutua. Estas prisiones ponen barras a la libertad, contaminan la vida, impiden el desarrollo natural, traen infelicidad a todos los implicados y provocan esos desórdenes mentales —nerviosos e incluso físicos— que afligen a la gente, produciendo una gran mayoría de las enfermedades de nuestros días.

—Edward Bach (Creador de las Terapias Florales)

¿Los niños Índigo necesitan terapias? ¿No están acaso mejor dotados que el resto? La respuesta, según los especialistas, es afirmativa en ambos casos.

La explicación de por qué habrían de ser necesarias determinadas terapias, remite a capítulos anteriores y se relaciona con dificultades propias del medio, del contexto socioeducativo. Es decir, con las reacciones externas a las que el niño Índigo está expuesto, más que con carencias del niño en sí.

Aun cuando su familia haya tomado conciencia de las necesidades que el niño presenta, es necesaria la mirada específica, más sutil, en función de sus atributos, para que no devengan en situaciones de marginación, aislamiento o sufrimiento; existe una sociedad que no siempre habrá de estar preparada para el nuevo niño.

La desaprobación, la hostilidad, el rechazo habitual por la diferencia existen inevitablemente en la vida social. Si a estos factores "ambientales" le sumamos eventuales vivencias "atípicas" que el niño experimenta —provechosas en la oportunidad evolutiva que prodigan, pero potencialmente traumáticas en un principio— es factible que se haga necesaria una compensación terapéutica, no encarada como tratamiento frente a una enfermedad, sino como apoyo hacia una evolución espontánea.

Luego, el factor ADD o ADHD, donde se involucra la hiperkinesis con los problemas que según hemos visto puede llegar a acarrear, suma otro elemento a la posible complejidad que podría presentar el panorama de crecimiento para un niño Índigo.

Las opciones terapéuticas propuestas por los especialistas e investigadores son muchas e inocuas.

El uso de las *Flores de Bach* es una de las terapias vibracionales que mejores resultados ha dado en niños. **Edward Bach** (1886-1936) médico bacteriólogo doctorado en Cambridge, descubrió alrededor de los años treinta que las esencias de ciertas flores silvestres actúan sobre las emociones humanas, equilibrándolas. La no agresividad y la ausencia de trastornos secundarios propios de este sistema interesaron a muchos profesionales en el mundo.

María Luisa Pastorino —médica psiquiatra y médica homeópata egresada de la Asociación Homeopática Argentina— indagó minuciosamente en esta terapia antes de publicar *La medicina floral de Edward Bach*, donde asegura:

"Es quizás en el campo pediátrico donde los remedios florales actúan más espectacularmente. El maleable organismo infantil lo hace buen receptor de las flores y de los cambios a los que ellas llevan. Se puede y se deberían dar desde el nacimiento. Colocado el Rescue Remedy (uno de los medicamentos florales combinados) en los pezones de la madre, el bebé incorpora el medicamento en cada mamada y éste actúa borrando las secuelas del traumatismo del parto y equilibrando al bebé en su alimentación y sueño. Más adelante, en la vida del niño, el sistema Bach se puede usar en todo tipo de patologías con excelente resultado."

En la introducción del mismo libro, encuentro un párrafo que sintetiza la acción terapéutica de las flores:

"Estas infusiones actúan sobre los estados emocionales de hombres y animales y sobre las propiedades vitales de las plantas. Forman un sistema médico cuyo axioma básico, establecido por Bach, dice que la enfermedad es el resultado de un desequilibrio emocional, que dicho desequilibrio se produce en el campo energético del ser vivo y que si éste persiste, se produce la enfermedad en el cuerpo físico. El agente curativo, por consiguiente, deberá actuar sobre las causas y no sobre los efectos, o sea, corrigiendo el desequilibrio emocional en el campo energético."

Existen otras terapias o "técnicas de apoyo evolutivo", que se recomiendan tanto en el caso de los niños Índigo como en el de los hiperactivos, con o sin trastorno de déficit de atención. El Reiki para niños, la técnica de armonización de los campos electromagnéticos (EMF), el masaje Atlante, son algunas de ellas.

Quienes practican y aplican estas técnicas aseguran que sirven para canalizar energías, adaptar la vibración al cuerpo físico y hacer, en conjunto, menos traumático el proceso evolutivo del niño Índigo.

El masaje Atlante, en la explicación de Nina Llinares (www.geo-cities.com/nllinares) especialista española en este tratamiento es una técnica enfocada a desbloquear información celular con el fin de liberar patrones energéticos causantes de enfermedades, cansancio y falta de resistencia, entre otras disfunciones.

Las condiciones vibracionales del planeta —asegura Llinares— han ejercido alteraciones en nuestros organismos físicos. El conjunto de técnicas que forman el masaje Atlante contribuye a la liberación de dichas cargas energéticas así como a las grabaciones contenidas en nuestro antiguo código genético.

EMFBT (Electro-Magnetic-Fields-Balancing-Technique) es la sigla que definiría, en literal traducción a la Técnica de Balance de los Campos Electro Magnéticos. Abundan en Internet las descripciones desarrolladas al respecto (www.emfbalancingtechnique.com)

En las propias palabras de Silvia Durán (flordevida@uol.es), una de sus cultoras, el EMFBT es una técnica de armonización que facilita el fluir de la energía cósmica en el sistema electromagnético del cuerpo humano. En ella, terapeuta y paciente unen su intención para disolver bloqueos de energía. Todas las creaciones de la persona —experiencias, miedos, aprensiones, recuerdos— son liberadas e integradas en el canal central de energía de modo que se pueda utilizar ese potencial para nuevas co-creaciones.

La cuestión cosmobiofísica

Seres superiores comienzan a manifestarse a través de niños, aunque esto jamás debe alarmar ni atemorizar a los padres. Por el contrario; corresponde considerarlo como una gracia divina de Dios. Los síntomas que un padre puede llegar a advertir sobre un niño de tres o cuatro años que es "ocupado" por seres superiores son de fácil comprobación debido a un cambio total de comportamiento. Es como si de golpe el mismo se transformara en un muchacho de quince años o en un adulto, a juzgar por sus deducciones, análisis y otras pautas de comportamiento. Abandonan sus juguetes anteriores, dejan de correr alocadamente como lo hacían antes; comienzan a demostrar una extraña madurez en sus preguntas y respuestas.

—PEDRO ROMANIUK (Investigador de fenómenos paranormales)

Salvo unas pocas excepciones, los testimonios recabados para esta investigación adhirieron a la existencia de niños Índigo en el marco de una creencia que opera como denominador común: la continuidad de la vida más allá del plano físico; la trascendencia del espíritu.

Así, los altos coeficientes intelectuales, la capacidad para ver, oír y curar a distancia y demás atributos enunciados al hablar de niños Índigo, se suman a la idea de que albergan un conocimiento, una experiencia que les pertenece y que traen consigo desde aún antes de nacer: antes de venir a la Tierra, para usar un lenguaje a tono. Sin embargo, allí donde se habla de lo interplanetario el tema tiende a ramificarse, dando cabida a otras teorías que, sin ser mayoritarias, también constituyen opinión respecto del fenómeno.

Pedro Romaniuk es fundador del Instituto Cosmobiofísico de Investigación, en Buenos Aires, Argentina. En su juventud, fue Comandante de Aviación. Durante el ejercicio de esa profesión atravesó experiencias que lo conmocionaron, agudizando su interés por los planos menos explícitos de la realidad. Se abrieron para él nuevos campos de investigación e interés simultáneamente con vivencias sobrenaturales, visualizaciones, anticipaciones y contactos con lo que en sus propias palabras, define como "Inteligencias superiores".

En *La vida después de la muerte* —libro publicado por este autor en 1989— Pedro Romaniuk decide dar testimonio del episodio que, a partir de un accidente aéreo y sus derivaciones, cambió para siempre su manera de concebir la existencia.

En los últimos años, un interés específico por el fenómeno Índigo lo ha llevado a participar en programas televisivos y entrevistas para distintos medios. Sin embargo, su perspectiva reviste diferencias importantes con otros enfoques al respecto.

La presencia de nuevos dones y peculiaridades en ciertos niños es vista por este investigador como fruto de una "ocupación" proveniente del exterior. En ese marco, excluye la experiencia "previa del ser" que el niño Índigo trae consigo y luego manifiesta.

> "Con un aplomo y seguridad que antes no se le advertían en sus preguntas —sostiene el mismo autor— el niño ya no se conforma con querer saber sobre ciertas cosas; pretende el 'por qué' y el 'cómo'. Acá se presenta un detalle que merece ser esclarecido. En la mayoría de los casos de seres humanos, niños o adultos, a cuyo través actúan Seres Superiores, son estos últimos precisamente los que generan premeditadamente en las mentes humanas la necesidad de extraer sus propias lógicas analíticas o deductivas sobre el 'por qué' y el 'cómo' de ciertos hechos."

Según este párrafo, entonces, el cambio se activaría por intervención de fuerzas exteriores. En cuanto a las características de los niños Índigo, y más allá del "origen" de sus atributos, Romaniuk coincide en señalar la tendencia a dormir poco, asegurando que los niños *Ocupados* poseen una cantidad e intensidad de energía vital impresionante, aunque *inusual con anterioridad*, es decir, respecto de sus primeros años de vida. También ratifica su convicción en la cuestión ADN, al manifestar que ha observado gran cantidad de hijos de portadores del virus HIV que habían *negativizado* el virus.

Por último, con relación a épocas y ejemplos, este observador cita una excepción a la cual suele apelarse cuando se habla de niños Índigo "adelantados" a la llegada masiva que tuvo su incremento de los años sesenta en adelante:

> "A los cuatro años, *Wolfang Amadeus Mozart* no sólo ejecutaba el violín, sino que también componía música im-

posible de imitar. Podemos preguntarnos: si para llegar a componer, como para adquirir cierta destreza en instrumentos complejos como el piano no alcanza una década; ¿cómo se explican sus geniales conciertos a los tres o cuatro añitos? ¿Quién ordenaba esos impulsos mentales? ¿En base a qué experiencia sus dedos ejecutaban las directivas motrices? ¿Dónde y cuándo adquirió semejante conocimiento? ¿En qué tiempo? ¿Quién lo inspiró, lo iluminó con ese genio? ¿Quién guió sus manos? Fueron Ocupantes... fueron Seres Superiores los que impulsaron las manitos y deditos de una criatura de tres años que nada sabía de música y jamás de componer música, a escribir partituras cuyas técnicas y creatividad requieren quince o veinte años de agobiadoras prácticas."

Incluyendo este testimonio, más allá de coincidencias o diferencias, hay entre los distintos investigadores un acuerdo básico en cuanto a que los niños Índigo *existen, están con nosotros, traen una nueva conciencia, son más evolucionados y aumentan estadísticamente.*

El fenómeno Índigo abre, simultáneamente con su divulgación, una serie de controversias que parecen multiplicarlo en subtemas. La discusión sobre la vida extraterrestre y sus manifestaciones en nuestro planeta constituye un ejemplo de las derivaciones posibles.

Elegí, en el abordaje de este libro, dejar constancia de las potenciales extensiones temáticas que podía generar el fenómeno Índigo, pero sin indagar en ellas, pues éstas exigen por sí mismas otra investigación.

Epílogo de un viaje a la infancia y sus posibles nuevos mundos

Si les decís a las personas grandes: "La prueba de que el Principito existió es que era encantador, que reía, y que quería un cordero. Querer un cordero es prueba de que se existe", se encogerán de hombros y os tratarán como se trata a un niño. Pero si les decís:

"El planeta de donde venía es el asteroide B612", entonces
quedarán convencidos y os dejarán tranquilo sin preguntaros más.
Son así. Y no hay que reprocharles. Los niños deben ser
muy indulgentes con las personas grandes.

—Antoine de Saint-Exupéry

La prueba de que los niños Índigo existen no es este libro, ni lo será ninguno. Allí están ellos: la propia experiencia de los lectores, de los adultos, de los observadores, a partir de una mirada sensible a los cambios que subrepticiamente presenta la especie humana, es la conclusión más veraz y coherente con estas páginas.

La noción de que un niño Índigo puede ser un niño cualquiera y poseer capacidades potenciales más expandidas que el resto —aunque no siempre evidenciadas, o incluso reprimidas— es algo que sólo podemos analizar por sus consecuencias. Su percepción más amplia, su desempeño selectivamente superior, su mayor conciencia para comprender procesos globales, su capacidad de adaptación a situaciones cambiantes, su voluntad de justicia y coexistencia pacífica con un todo universal, ¿qué son sino la contrapartida exacta de aquello que más lamenta la humanidad en los últimos cincuenta años?

Suena lógico que nuestra raza, como especie tendiente a la supervivencia y no a la extinción, procure compensar en nuevas generaciones los procedimientos catastróficos de las antiguas.

Se ha dicho que los niños Índigo nacen en cualquier clase socioeconómica y se caracterizan, básicamente, por poseer un nuevo estado de conciencia. La llegada de estos "nuevos hombres" —según los especialistas— no es casualidad: tendrían una tarea muy específica por delante.

Son puentes entre la tercera y cuarta dimensión, y activan el verdadero cambio en el seno mismo de la familia, en el hogar,

reza el copete de un artículo difundido por la página web *queidea*, del Ecuador.

Con la irrupción del fenómeno Índigo empieza a madurar *una nueva manera de ver al niño* por parte de los adultos, y con ella, quizás también una puerta al cambio evolutivo. ¿Qué vienen a decirnos? ¿O a enseñarnos?

La manifestación de que el cambio *importado* por el niño Índigo a la humanidad empieza en su propia familia se reitera en distintos testimonios y opiniones. Es un dato importante, que subraya el peso específico del fenómeno. Su carácter masivo, intrasocial, casi subrepticio aún, lo equipara a las transformaciones profundas, irreversibles.

La historia nos demuestra que los grandes cambios no han sucedido precipitada o espectacularmente. El espacio cotidiano de la inmediatez ofrece matices sugestivos, sutiles pero intensos, que nos merecen especial atención.

Propulsan una rotación planetaria que paulatinamente ilumina zonas escondidas de la infancia universal y de la naturaleza humana.

El fenómeno Índigo se presenta como una revelación subrepticia pero creciente que tiene, a la vez, algo de revolución. Porque estos niños empiezan, en su jeroglífico y pródigo lenguaje, a sumar nuevos conocimientos y conceptos, destronando otros que ya ostentan su contradicción.

¿Qué es lo contradictorio? El adulto ha creado un seudomundo infantil, fabricando juguetes a imagen y semejanza de la adultez, pero en pequeño. Películas, alimentos, ropa, libros, rostros y actitudes se lanzan al mercado pretendiendo que "eso" es lo que los niños quieren; como cuando se inventa un hueso con sabor a chocolate suponiendo que esto es lo que un perro normal debe desear.

He aquí una paradoja que explica el desconcierto mutuo: el niño nuevo, si se lo permitimos, tiene algo propio para decir. Y seguramente nos sorprenderá.

Lo que los parámetros tradicionales de educación rechazan, podría ser concebido, entonces, como la manifestación de identidad de estos nuevos niños ante un gran malentendido: un estado de cosas equivocado.

Aun descartando la existencia de los niños Índigo, es claro que la mayoría de los niños tienen misterio y personalidad. A pesar del mercadeo que la industria infantil les dispara a metralla, ellos se hacen oír, llaman la atención, nos desconciertan, provocan investigaciones, impulsan nuevas disciplinas, justifican la elaboración de libros como éste. Algo se traen. Y no puede ser nada malo.

Una aclaración personal: tampoco creo en santificarlos, declararlos genios o acceder ciegamente a todos los deseos de un niño determinado, sean cuales fueren sus cualidades. Sí deduzco que escucharlos sin la "traducción simultánea" de nuestras propias necesidades proyectadas en ellos, puede hacernos bien como adultos.

Es probable que, entonces, al hacerlo, sembremos una semilla de cambio capaz de torcer el extraño rumbo de las últimas décadas. El rumbo, por ejemplo, de los inmolados estrellando aviones para que otros inmolados involuntarios expíen pecados que desconocen.

Por alguna razón tan misteriosa como los niños mismos, la tendencia ha sido neutralizarlos; abortar en vida la palabra del niño, que es humano, y sucumbe ante una vidriera de juguetería con talles para todos los gustos en el mercado mundial.

Así nos privamos del cambio y proyectamos nuestra propia herencia "adulterada" diseñando a nuestros pies una infancia de acetato y tecnicolor con Mickeys, Xuxas, Pokemons.

Inventos de grandes. Grandes inventos. Escenarios de anestesia que creamos para ver una niñez ideal, donde la fiesta de luz y color sea permanente.

¿No estaremos perdiéndonos algo? ¿No estaremos impidiendo, con los fórceps de nuestra inmadura escenografía una evolución profunda, virtuosa, enriquecedora a la que estaba destinada nuestra civilización?

Metódica y ciegamente se eliminan ecosistemas, especies, y capas de la atmósfera. Cumpliendo el protocolo de la adultez, la "plana mayor" hace lo propio con la infancia: interrumpiendo la evolución allí mismo, donde parecen insinuarse los primeros signos de discordancia con lo establecido.

Los niños, potencialmente sabios pero blandamente inexpertos respecto de la densidad física, son permeables a la trampa narcóticamente seductora del efectismo. De todos modos, un fenómeno, una nueva generación nos remite a virtudes esenciales de la especie.

Aun sin el privilegiado ADN, sin superpoderes, ni "lóbulo frontal abultado y ojos grandes" los niños de hoy acaso sean **todos** potencialmente especiales, distintos respecto de hace tres o cuatro décadas. Es decir, capaces de desarrollar nuevos dones, de resucitar una condición espiritual, psíquica, intelectual que había sido congelada pero que define a la especie humana.

Y al resucitarla, resucitarnos con ella.

Una misión ya opera por sí misma. Es la misión de la nueva mirada sobre los niños. Una mirada más sabia que nos permite a los adultos aprender antes que clasificar. Abrir nuestros ojos tan grandes como los que ellos traen, escucharlos con la voracidad con que ellos nos escuchan, inspeccionar nuestros juguetes con la misma curiosidad con que ellos inspeccionan los suyos; todo esto es complementario a la misma dirección que los niños toman.

Existe, sin embargo, una contracara del fenómeno que puede confundir: la exigencia, la vanidad proyectada, la urgencia de tantos padres por engrandecerse a través de la eventual "estrella" de sus hijos. Otro riesgo. Y otro vicio tendiente a neutralizar un cambio positivo frente al cual nos debemos atención especial.

La evolución como especie, aquella que los niños podrían aportar, no tiene que ver, en lo esencial, con triunfos científica, económica, o funcionalmente mensurables. Estos, en todo caso, serían beneficios adicionales.

El impulso humanístico que traen los nuevos niños tampoco es puntualmente predecible como el sexo de un bebé, pero asoma aquí y ahora; ha sido percibido por muchos padres y observadores de distintos campos.

Todos los niños —mágicos por naturaleza— habrán de sorprendernos, en tanto dejemos de criarlos como a pequeñas mascotas reproductoras de un sistema de creencias hoy ya poco creíble. Y seguramente nos harán un favor, si se lo permitimos. Quizás en un futuro surjan nuevos acercamientos al tema; refutaciones, confrontaciones y semblanzas más o menos efectistas, según dicte la mediatización.

BIBLIOGRAFÍA

• Ariès, Phillipe / Duby, Georges *Histoire de la vie privée,* Éditions du Seuil, París, Francia, 1985.

• Blom, Eric, *Mozart,* Ediciones Anaconda, Buenos Aires, Argentina, 1950.

• Blythe, Tyna, *La Enseñanza para la Comprensión / Guía para el docente,* Paidós, Buenos Aires, Argentina, 1999.

• Cabobianco, Flavio, *Vengo del Sol*, Longseller, Buenos Aires, Argentina, 1991.

• Crottogini, Roberto, *La Tierra como escuela / La biografía humana: proyección terrena de un acontecer cósmico,* Longseller, Buenos Aires, Argentina, 1997.

• Köler, Henning, "El mensaje de los niños de hoy", Semanario *Das Gotheanum* N° 11 Dornach, Suiza, 2001.

• Kühlewind, Georg, "Los Niños Estelares", Semanario *Das Gotheanum* N° 11 Dornach, Suiza, 2001

• Pastorino, María Luisa, *La medicina floral de Edward Bach*, Club de estudio, Buenos Aires, Argentina, 1990.

• Pearce, Joseph Chilton, *Evolution´s End,* Harper Collins Publishers. Nueva York, USA, 1992.

• Piedrafita Moreno, José Manuel, *Niños Índigo / Educar en la nueva vibración*, Ediciones Vésica Piscis, Zaragoza, España, 2001.

• Romaniuk, Pedro, *La vida después de la muerte*, Editorial Larin, Buenos Aires, Argentina, 1989.

• Saint-Exupéry, Antoine, *El Principito*, Emecé, Buenos Aires, Argentina, 1951.

• Stone Wiske, Martha, *La Enseñanza para la Comprensión / Vinculación entre la investigación y la práctica*, Paidós, Buenos Aires, Argentina, 1999.

• Tappe, Nancy Ann, *Understanding Your Life Through Color*, Starling Pub., USA 1982.

• Tober, Jan / Carrol, Lee, *Índigo Children / The new kids have arrived*, Hay House Inc., Carlsbad USA, 1999.

• Winnicott, W.D, *The Predicament of the family: a psycho-analytical Symposium*, Londres, Reino Unido, 1967.

*Otros libros
de nuestros sellos
que pueden interesarle*

Vengo del Sol

Todos somos partecitas salidas de Dios.
(Flavio, 6 años)

O sea, la muerte, coexiste; la vida sigue, de otra manera,
seguimos siendo parte de la vida que viene de Dios
y que vuelve a Dios.
(Flavio, 6 años)

Entre muchos destinos se forma el único destino. El destino de
la humanidad. Dios no tiene tiempo. Está fuera de tiempo.
Todo lo que está adentro del tiempo empieza y termina.
(Flavio, 6 años)

Para ayudar a los chico hay que ayudar a los grandes.
Si los padres están abiertos, van a cuidarlos sin imponerles sus
propias ideas, su visión del mundo. Lo principal es darles
espacio. darles tiempo, dejarlos pensar, dejarlos que hablen,
Es importante hablarles de Dios, de lo espiritual
pero sin insistir en que tienen la Verdad.
(Flavio, 8 años)

Libros de Eileen Caddy

- Dios me habló
- Fui un instrumento de Cristo
- Abriendo las puertas de tu interior
- Aprender a Amar
- Cimientos de Findhorn
- Elegir Amar
- Huellas en el camino
- Ondas del Espíritu
- La palabra viva
- La Voz de Dios
- Vuelo hacia la libertad
- Ondas del espíritu

Libros de Khalil Gibrán

En la Serie Inspiración

- Jesús, el hijo del hombre
- El profeta y El Jardín del Profeta

En Clásicos de Bolsillo

- El Profeta
- El Jardín del Profeta
- El Loco
- Espíritus rebeldes
- Procesión y Alas rotas
- El Vagabundo
- La Voz del Maestro

Libros primordiales

- Quiénes son los Elementales
  Etel Schulte

- I Ching Personal
  Carlos Molinero

- Runas, el oráculo del camino interior
  Marta Beatriz Carranza

Inspiración

- Amante del amor
  Rumi

- Credo Tibetano del Morir y del Renacer
  Padma Sambava

- El Tao para todos
  Lao Tse